船橋芳信

世界で最高！
なんちゃって、イタリア

オペラ、ファッション、料理、アート、歴史

幸せいっぱいのイタリアに42年

JN068404

…高等研究院出版局

知の新書
E01

献辞

「なんちゃってイタリア！」42年間、知り合ったすべてのイタリア人と共に、イタリア生活に感謝を伝えます。
マエストロ・ガヴァッツェーニ、ピーノ、エンツィーノ、マリーザ、アンドレア、ヴァルテル、フランコ、ティーナ、クララ、サーラ、フルヴィオ、ティート、リーノ、シンゴ、スミ、そして、執筆を勧めてくれた敬愛する亡き親友、浅利誠氏へ勇気と信頼を捧げます。

Oh mio Dio, Italia!
Desidero esprimere la mia gratitudine al Maestro Gavazzeni, Pino, Enzino, Marisa, Andrea, Walter, Franco, Tina, Clara, Sara, Fulvio, Tito, Lino, Shingo, Sumi e al mio caro amico Makoto Asari, scomparso, che mi hanno dato il coraggio di scrivere questo libro.

—Yoshi Funabashi

❖目次❖

1 ローマからミラノへ、そしてオペラ なんちゃってイタリア

◎渡欧の動機と当時の心情

一九七九年の頃、東京のファッションパターン・メーキング・オフィス（型紙作りのサービス）に五年勤めた。大学を出て、就職もせずに、アルバイトを転々とした。今日明日の目先のことしか視覚に入ってなかった。語学も中途半端で、語学を職に活かす可能性など、考えることすらできなかった。

一九七五年の頃だ。とりあえず点を記すことを探した。自分に合う仕事ってなんだろうか？何か表現と関われることに興味は持っていた。その結果、パターン、型紙を作るパターンメーキングという職種があることを、ファッション・デザイナーの先輩から教えて戴いた。服作りを思いついた訳ではない。父親がテーラーだった。子供の頃から、慣れ親しんだ職場だった。成城大学前の伊東衣服研究所に通った。苦渋の選択だったが、パターンメーキングを取得することへの良し悪し、損得勘定、好き嫌い、何も判断する基準はなかった。何故、なぜ、何故？と疑問ばかりの過去が点在する。

気づかない隠された自己への誤魔化しは、いつも隣り合わせにいた。目を瞑って、とりあえず、伊東衣服研究所へ、アルバイトをしながら通った。製図は面白いものではなかった。興味の対象が自分の中になかったのが、問題の全てだった。パターン、型紙への興味は、正直なところ、持てなかった。伊東衣服研究所での講習期間が終わると就職先を紹介してくれた。有り難かった。今でも感謝の念に頭がさがる。点は記すことができた。

五年が経った。自分なりに、必死になって働いた。まだ、仕事の面白さを理解できてはいなかったが、仕事を通じて、立体裁断という、平面のパターンを作成しながら、立体を包むという概念での平面作図方法とであった。そこではドレーピングによる立体裁断を教えている。会社が終わると、渋谷にあった、夜の講習に通う。大野順之助先生をニューヨークから講師に招き、鯨岡阿美子先生が社長を務めるアミコファッションズと出会った。点から線を少し引けた様に感じた一九七八年、五年が過ぎる頃、会社勤めの毎日が苦しく感じた。朝の通勤時間、阿佐ヶ谷のアパートを出て、中央線の電車にふと、反対車線に飛び乗った。中央線の下り電車は、ガラガラに空いている。吉祥寺、三鷹を過ぎると西の空は低く遠くに広がり、開放感を強く感じた。ストレスを抱えているのを自覚した。

この生活を持続するのに、固い壁を感じていた。事務所の社長に、渡欧の決意を伝えた。弟の幸彦がロンドンのオートクチュールを勉強するために、イギリスに渡って五年が経っていた。ロンドンのサビールロードで働くために渡欧して、その二年後イタリアのメンズ服を勉強するために、ローマのオートクチュール、アンジェロ・リトリコに移っていた*。弟を頼りにしての渡欧だった。洋服屋の親父には、弟を連れ戻すための渡欧だと、いい加減な理由を言った。弟を連れ戻す理由に、イタリアへ対するイメージの悪さを使った。大学時代のフランス被れも大きな要因だった。そのフランス被れは、自らえたというより、大学の同級生たちが皆、フランス文学に影響を受けていたからである。当時、イタリアってどんな風に映っていたかと言えば、先ずマフィアの存在、次にネオリアリズムの映画、自転車泥棒、などによる貧困な社会のイメージ、ストライキ、赤軍に依るモロ首相誘拐暗殺事件、ボローニャ列車爆破事件、世相不安、第二次大戦後の繁栄から社会的構造のタガが緩み社会問題が吹き荒れていた頃のイタリアである。

海外遊学は、会社を辞める理由にした。今思うと、少しズルかった。会社の仲間から、記念品を贈りたいが何が良いかと尋ねられた。ヨーロッパの劇場での観劇用オペラグラスがほしかった。このときいただいたニコンのオペラグラスは、その後重宝した。

ローマに着いた

一九八〇年七月二四日、真夜中、ローマ、チャンピーノ空港に着陸した。イギリスのマンチェ

** 弟、幸彦は1976年王室御用達のHawes & Curtisで訓練を受けていたが、その後、念願のイタリアへ。Italy Rome Caraceni とAngelo Litricoのもとで、イギリス のミシン機械作りと違う、全て手作りの修行をする。1980年、"Sartoria Ypsilon" を設立。

スター空港で、五時間待たされたこのチャーター機は、ナポリ経由でローマという。安い切符に釣られてしまった。ナポリ空港に着陸したさいには、乗客が無事の生還を、溢れんばかりの拍手とブラボーの叫喚で！　面食らってしまった。

ローマ、チャンピーノ空港では、疲れ果てた乗客たちは、あのナポリ空港での元気もない。税関を通り、イタリアに入国した。外にでると、夜中一二時を過ぎていたにもかかわらず、弟はじめ彼のローマの友人たちが出迎えてくれた。

グループのボス的存在、レンツォは、糸東流空手の師範、リッカルド、フィオレ、他の友人は、彼の空手の弟子たちである。

クタクタで辿り着いたローマには、弟、ユキと彼の友人達が温かく迎えてくれた。次の日の朝遅く、レンツォがアルファロメオ、ジュリエッタで迎えに来た。さあこれから、ローマを見せてあげましょう！　とジュリエッタの助手席におさまると、猛スピードで、カラカラ浴場、コロッセオ、フォーロ・ロマーノ、トレビの泉、スペイン階段、そして、エマニュエル・ビットリオ二世記念堂。その広い長い階段の真ん中を駆け上がった。眼下に広がるピアッツァ・ヴェネツィア、その先に広がるピアコンドッティ通り、スペイン広場、ローマの屋根頭の畝畝、屋根の凸凹、それらを全て覆い尽くす高く広がるどこまでも青いローマの天井。空の高さに、とめどのない解放感が胸に大きく広がる。空気を胸いっぱいに吸いこんで、日本での抑圧され塞がれた頭上の蓋が、一気に吹き飛んでしまった。

レンツォ・トゥルキの駆るアルファロメオ・ジュリエッタは、ルンゴテーベレ（テベレ河沿い）を、サンタンジェロ城への橋を渡る。「Yoshi! Chiudi gli occhi! (Yoshi、眼を閉じて！）合図するまで、目開けないで！」ジュリエッタは、猛然とスピードに乗って、突進した。

突然レンツォが、「眼を開けろ！」

眼前には、巨大なサンピエロ大寺院が迫っている。何という大きさだ！

ローマ人たるレンツォならではのローマ観光は、四十年を過ぎた今尚、瞬く間に鮮明にあの日のローマにフィードバックさせてくれる。私の名は「Yoshinobu」、親愛なるイタリアの友人たちからは「Yoshi!」と呼ばれた。

ローマの蒼い高い空

ローマ、まず、驚いたことに、自由な広がりの空間が、街中に点在している。ローマのヴェネツィア広場の一角に、真っ青なローマの空に突き出す真っ白な総大理石の建造物、荘厳なエマニュエル・ビットリオ二世記念堂がある。ロマーノ（ローマ人たち）は、此の建物を揶揄して、タイプライターと呼んでいた．確かに古代ローマの建築様式、古代の建築に比較すれば現代建築の安っぽさは、時の重みが付加されて居ないだけに、比べても仕方がない。しかし、この記念堂の中段に昇り、高く蒼く広がるローマの空は、胸一杯に感動の気分に満たされ、日本での抑えこまれた精神的抑圧が、一気に吹き飛んで、ローマの空に霧散したのを、昨日の出来事のように思い出す。

第一歩のローマは、ローマの街の外観と蒼い高い空に圧倒された。

そして、これから始まるイタリア生活、まずは、美術館、演劇を観て、音楽を聴いて、街を感じて、あらゆる果実、野菜、魚介類、イタリアレストランを食して、歩き回ろうと決めた。

芸術の都ローマ、一歩街を歩けば、古代ローマの遺跡にぶつかり、郊外を散策すればアッピア街道が、延々と南への地中海へと通じている。現代生活と古代ローマの遺跡との融合は、ダイナミズムな時間の畝りとなって、五感に語りかけてくる。

愛するローマは一瞬にして生まれ、毎日の生活の中で、バジリコとポモドーロとパルミジャーノのスパゲッティ、スパゲッティ・アッラ・マトゥリチャーナ、カルボナーラ、ピッツァ、スープリ、ジェラート、ティラミス、食材探しの市場での散策はイメージが広がって、感覚、感情が、自ずと膨らんでいった。

ローマは、見るものは夥しく、知るべき事、二〇〇〇年の過去の時を経て未だに現存する遺跡とが現代生活と融合し、この街に住む日常をドラマチックな時間のなかに漬け込み、日々来るものを拒まず、魅了し続けている。この街と対峙し、知識で凌駕するのは虚しい。感覚、感受性に委ねようと決意した。

ローマ探索は、まずは食べ物、果物、野菜市場、魚介類にハム、ソーセージ、チーズ、肉類、うさぎ、ひつじの肉は珍しかった。

マーケット、美術館、教会通いから始まった。ヴァチカン美術館、サン・ピエトロ大寺院、システィーナ礼拝堂、見るべき寺院、美術館の数、超大な過去の遺跡を埋め尽くした現代のローマは、日々の市民の雑踏と車の渋滞、騒音、人々の嬌声、大声、笑い声、教会の鐘の音、そして明るく光に輝いている。中でも朝食のカフェとブリオシュ、カプチーノ、ジェラートは、何ものにも代え難い至福の時間であった。苦くて、砂糖なしでは、飲めないカフェストレット、毎朝挑戦して砂糖なしで飲めるようになる。街に少しずつ慣れて習慣の違いにも、余裕を持ち、毎日が、楽しく変わって行く。

マエストロ・ニコラ・ペレグリーノ　メンズ・オートクチュールの大先生

弟、幸彦の紹介で、マエストロ・ニコラ・ペレグリーノのアトリエに、弟子入りした。

スペイン階段を登りきると、トリニテデルモンテ教会、その　小さな広場の右端小さな階段を下り、その真ん中に、マエストロ・ペレグリーノのアトリエがあった。

そこに、二七才のヴァレンティーノが、弟子として働いていた。ヴァレンティーノは、ミケランジェロのダビデ像に似た美しい容貌をしていた。彼は、他にも内職を持っていて、就時間はまちまちだった。日本人的思考からは、彼に狡さを感じていた。ある時、マエストロに尋ねたら、思いがけない返事が来た。「ああ、彼が他の仕事をしているのは、知っているよ。自分の能力で他の仕事をしてお金を沢山稼ぐのは良い事だ。」マエストロにとっては、アトリエの中では、自分のための仕事を摺り事が、第一で、一歩アトリエを出ると、ヴァレンティーノが、何をしようと感知しないのである。言ってみれば、日本的感情論での良い悪しなど、誰も指摘はしない。キリスト教の国である。神が見ているのであろうか？

マエストロには、針の持ち方から教わった。

「ヨッシー、針は、右手の親指と人差し指とで、甘く優しく持ちなさい。服は左手の親指と人差し指で布を調整しながら、甘く優しく、愛情を込めて、ゆっくり縫いなさい。」

エッ！　愛情を込めて縫え！　なんとロマンチックな手作業だろうかとマエストロの説明が、心に響く。

世紀のフルート奏者、セベッリーノ・ガッゼローニ氏がマエストロの顧客だった。

ビットーリオ・ベネト通りにあるホテル・サボイアでマエストロ・ペレグリーノのスーツの展示発表会があった。クラッシックな豪華なホテルのロビーを使ったファッション・ショー、メンズのオーダーメイドのファッション・ショーは、初めて観たのだが、豪華なホテルロビー

フルート奏者マエストロ・セベリーノ・ガッゼローニ Maestro Severino Gazzelloni の“Yuki”（弟、幸彦）へのサイン

の格式に対しても、ローマ男性のエレガントな装いに、気品のある好感を覚えた。マエストロ・ガッゼローニが、フルートの演奏をしてくれた。が、クラッシック音楽音痴の人が多かったのか、会場のざわめきが激しく、マエストロ・ガッゼローニは、途中で、演奏を止めた。彼の怒りを含んだ諦めに、同情を覚えた。

休日には足を棒にして、ローマ中を歩いた。

カラヴァッジオにであう

美術館では、ボルゲーゼ美術館が好きになって脚繁く通った。そこにはベッリーニの大理石の彫刻、カノーバのポーリーン　ボナパルト、ナポレオンに嫁いだ女性の上半身を起こし、よこに伏した像。この素晴らしい彫刻の林を通り過ぎ、ピナコテッカへの階段をのぼるとカラヴァッジオの絵画群が現れる。Michelangelo Merisi detto Caravaggio 聞いたことも無い画家名、有名なミケランジェロだろうと勝手に思い込ん

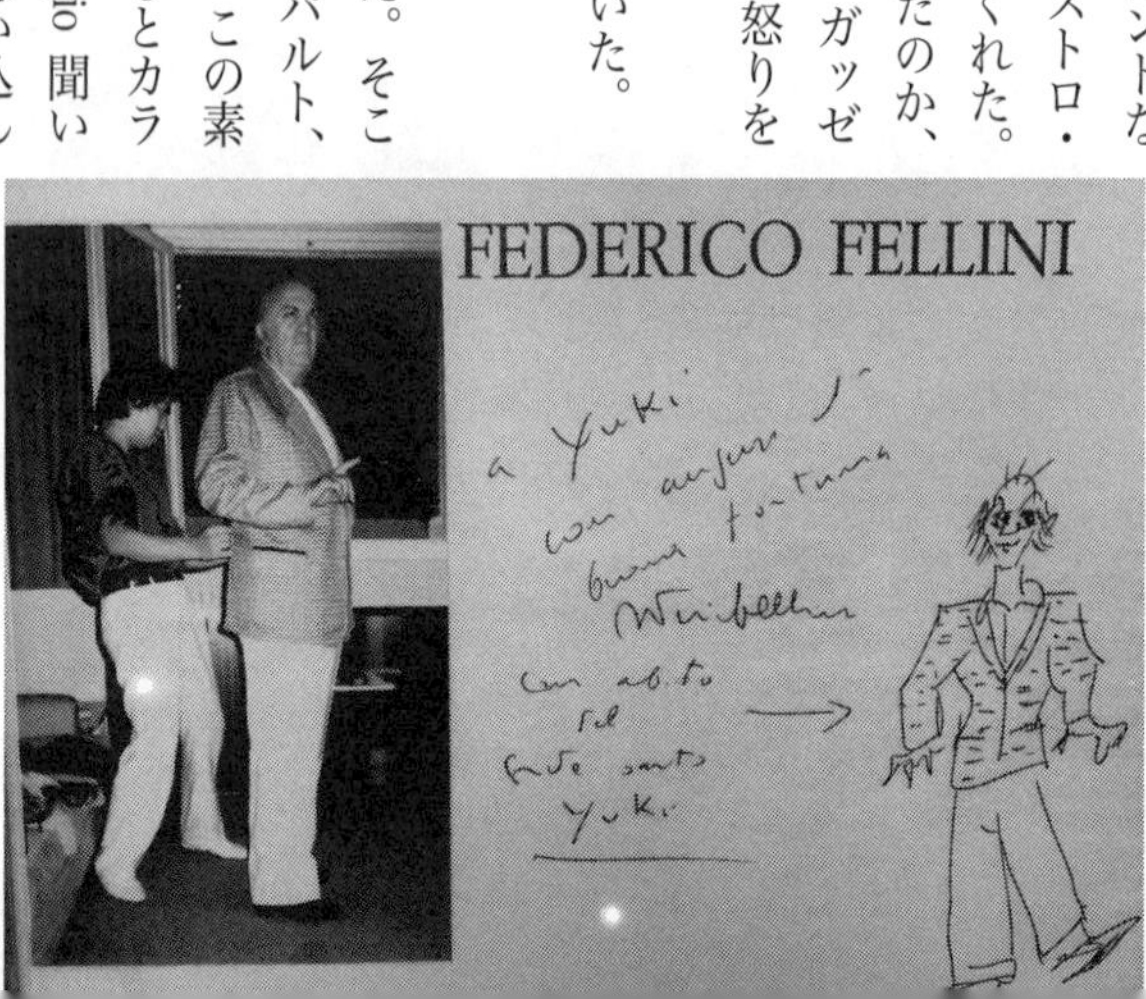

でいた。

カラヴァッジオ、当の本人も、高名な彫刻家 Michelangelo Buonarrotti と名前が同じなので、〝カラヴァッジオ出身の〟と名づけたと言われている。実際に、ミケランジェロの絵とはモチーフ、画風は大変な違いは、今でこそ理解するが、当時はいたらなかった。ただこのボルゲーゼ美術館にある、「Buonaventura 幸運を！」と題された絵の前には、幾度も訪れた。その絵を前にして、何時間もたたずんだ。

このカップルの絵、旅立つ寸時の別れを描いたと勝手に考えた。この二人は恋人同士で若い男の子はこれから旅に出発しようとしている。その彼を見送る彼女は彼の手を取り、彼を見つめている。この絵は私にそう語ってきた。私は若いカップルの旅路への別れ際だと感じ、その描かれた二人を眺めると、青年は、これから旅立つ未来へ心を馳せその視線はこれからの未来に向いていています。その彼を見送る彼女の眼差しは、別離という現実、青年手元に視線を当てていています。この絵のストーリーは、勝手に自分で感じた物語だったが、カップルのそれぞれの視線が、二次元平面効果的に描かれ、その絵を観る第三者に、信じ難い三次元的空間を一瞬の時間のなかに、その想いを描いている。この描写する絵画技法は、計算されたものでは、決してなく、偶然生まれた表現のようでいて、完璧に計算された二人の視線ではないだろうか？

右頁：フェリーニの仕立てをする、若き仕立て屋、弟・幸彦（YUKI））への彼のサインずっと後になって絵のストーリーを知った。女ジプシーの手相占い師が、若者の手相をみながら、金品を盗み取るシーンだそうだ。カラヴァッジオはこの絵を二枚描いている。もう一枚は、ルーブル美術館で観た。この絵に親近感を持ったのは、他の作品が、聖書の中のストーリーだったり神話や、宗教性にその題材が多い事にあるが、カラヴァッジオの絵には、彼の解釈によるドラマが、光と影の表現によって散りばめられている。

カラヴァッジオとの付き合いは、イタリア生活の中で営々と続いて行く。ローマからミラノに移り住むと、ミラノの美術館巡りの中、ミラノ聖堂、ドゥオーモの前面にあるアンブロジアーナ美術館で、一幅の絵に惹きつけられた。見るとMichelangelo Merisi detto Caravaggio。また、ミケランジェロだと思い、その果物籠の静物画を見続けていると、アンブロジアーナ美術館の館員が、「Giovanotto!（若い人！）その絵は、イタリアの至宝、カラヴァッジオの作品だよ！」その絵との

カラヴァッジオ「Buona ventura 幸運を！」

出会いとで、カラヴァッジオという、絵描きの存在が、浮かび上がった。絵画の歴史上の大天才、そういえば、イタリアの紙幣十万リラ札の裏にこの静物画が、描かれていた。

カラヴァッジオについては、喋りたい多くの作品があるが、ここでは、割愛する。

ローマで一番食べた料理は、スパゲッティ・アッラ・マトゥリチャーナ、アーリオ・オーリオ・コンペペロンチーノ、スパゲッティ・ポモドーロ・コン・バジリコ、スパゲッティ・コン・ツナ、言わばパスタ、パスタのオンパレードだった。夏になると、肉屋の店頭から、豚肉が消える。ローマはアラブ、イスラム教の影響が、街の雰囲気の中に溶け込んでいる。真夏の暑い季節、アシの速い豚肉は、南イタリアでは、あまり食べてはいなかった。冷房機がある家は、ほぼ皆無だった。暑い日は、窓のシェランダ、シァッターを閉め、外からの熱気を遮断していた。石作りの家では、それだけで十分涼気があった。僅か四十数年後、全ての家が、冷房機を持った結果、室内は涼しくはなるが、外に熱気を放出する。結果、外気を熱し、地域を益々暑くする。個人レベルでは大したことないようにおもえるが、全家庭で冷房機が使われるのだから、外気は、夏の太陽に照り返され、通りは、冷房機からの熱風に晒される。

カラヴァッジオの自画像

一九八〇年夏ローマ。トキさんは、ローマ在住の日本人の女性、ピアッツァ・バルベリーニに、ブティック・トキを経営していた。ピアッツァ・バルベリーニ、というとアンデルセンの『即興詩人』の主人公アントニオが生まれた広場である。「羅馬に往きしことある人はピアッツァ・バルベリーニを知りたるべし」で始まるイタリア観光名所巡りの恋愛小説である。読んだことはあるでしょうか？　その店の店員のアルバイトを頼まれた。接客するにはイタリア語は、あまりに幼稚すぎる。何事も経験かと店員を引き受けた。しばらくして、トキさんは、日本に急用が出来たと、ブティック・トキをまかされた。客が来ない事を、願って毎日、店にたたずんでいたある日、お客様が来た。なんでも宝くじが当たったと、一五〇〇万リラ買ってくれた。今のレートで言えば約二五万円、トキさんは喜んでくれた。

一九八〇年当時、ヨーロッパ、世界のファッションのメッカ、パリでは、日本旋風が巻き起こっていた。陽気なイタリア、ローマに暮らす日本人、まして、ローマの人達は知る由も無かった。ファッションの仕事に携わってるにもかかわらず、世の中で騒がれるファッションには興味を持てなかった。まして日本人デザイナーがパリで大活躍している事さえしらなかった。しかし、この日本ファッション大旋風は、ローマに着いたばかりの一パターンナーに、イタリアでの仕事を齎すことになっていく。

◎オペラ

一九八〇年秋。その晩秋、オペラシーズンが始まった。オペラ観劇は初めてだった。渡航のために用意した、あの会社の仲間からプレゼントされたニコンのオペラグラスを入れていた。ローマのオペラ座で初めて観たオペラは、ジュゼッペ・ヴェルディ作曲、『運命の力』でした。

指揮者は、弱冠二八歳のMaestro Daniel Orenダニエル・オーレン、弱冠とは言え一八〇センチを越す巨体の指揮者で、指揮台の上で飛び跳ねて指揮をしていたのと、ユダヤ教徒が被る黒い小さな帽子、キッパが、印象深かった。今では、ダニエル・オーレンのトレードマークとなっている。現在では、ヴェローナの野外劇場の常任指揮者である。ローマ・オペラ座の天井桟敷の席を買い（八〇〇〇リラ、四〇〇〇円程度）、オペラグラスを片手に、馬蹄形の劇場を上から見下ろしていた。演目は「運命の力」、ジュゼッペ・ヴェルディ作曲、指揮者ダニエル・オーレン、テナー、ジュゼッペ・ジャッコミーニ、バリトン、ラヨシュ・ミラー（ハンガリー出身）、ソプラノ、ゲーナ・ディミトローヴァ。オペラの知識もなく、オペラ座でのヴェルディのオペラに、ストーリーも読まず解らないながらも、ドラマティックな音楽にのめりこむ。バリトンとテノールの掛け合いの二重唱では、その二人の声の声量に鳥肌が立ってしまった。オペラには、自分が知らない未知な理解を超えた感覚的に官能する世界の存在を予感させてくれる。まさにオペラとの出会いを予見した「運命の力」だった。オペラ座からアパートへ戻り、ストーリーを読み、次の日、又その次の日と、「運命の力」を三回観た。人の声、テナーの響きに、この上も無い感動に浸った。それからは、テナーの追っ掛けに、ひたすらオペラ座通いとなった。

La forza del destino 運命の力 1981-82　ローマオペラ座
Giuseppe Verdi 作曲
Francesco Maria Piave 台本
Daniel Oren 指揮者

配役

DONNA LEONORA（ドラマティック・ソプラノ）
　Ghena Dimitrova
DON CARLO DI VARGAS（ドラマティック・バリトン）
　Lajos Miller
DON ALVARO（ドラマティック・テナー）
　Giuseppe Giacomini

La forza del destino 1981-82
* Compositore
  Giuseppe Verdi
* Librettista
  Francesco Maria Piave
* Direzione d'orchestra
  Daniel Oren
* Regista
  Lamberto Puggelli,
* Personaggi e interpreti
  DONNA LEONORA
    Ghena Dimitrova
  DON CARLO DI VARGAS
    Lajos Miller
* DON ALVARO
    Giuseppe Giacomini

2 イタリア各地でフリーランスでの活動

親愛なる Enzino との出会い

ボローニャやリミニ、カルピ、フィレンツェの街のファッションメーカーから、コレクション作りへの依頼が入る。間違いなく、パリで活躍する日本人デザイナーたちのお陰である。

一九八〇年初頭は、パリでの日本ブームは、黒、グレー、一色で塗りつぶされ、カラス族と称された。平面パターンに依る、オーバーボリュームの服が、パリを闊歩した。西洋に無い平面パターン、着物を原型とするイメージが、日本人デザイナーパタンナーに求められていた。

リミニ Rimini、アドリア海にある海沿いの街は、夏の五ヶ月で一年分を稼ぐリゾート地として特に若者に人気がある街だ。

夏には、ドイツ、オランダ、スイス、ベルギー、フランス、アメリカ、カナダと多くの国籍が異なる若者たちで一杯だった。ディスコは真夜中騒ぎの渦中にあって、マリファナ、コカイン、さまざまな、薬物が、蔓延っていた時代だった。

フリーランスのパターンナーとして、仕事がまわってきた。理由があった。一九七〇年代後半、パリでは、日本人デザイナーたちによる日本旋風が、すざましい勢いで、駆け巡っていた。

日本人パターンナーという事で仕事が向こうからやってきた。そして、リミニのオムニブスというメンズのパンタロン・メーカーが、レディース・コレクションを始めるとパターンナーとして、コレクション契約を依頼してきた。

リミニは、映画監督、フェデリコ・フェリーニの生まれたアドリア海のリゾートの街、この街で過ごしたフェリーニの一二歳の子供の頃の思い出を描いた「アマルコルド」(私の思い出)、青春期に向かう一歩手前の瑞々しい感覚が捉える世相と足元で起こる日常、その映像は、今尚鮮明に浮き上ってくる。

この街で、フリーランスのパターンナーとして、オムニブス(乗合バスの意味)という会社とシーズン契約で働き始めた。メンズのズボンメーカーが、レディースのコレクションを始めるというので、サンプル作りに加った。そこで知り合ったのが、アボカート(弁護士)と呼ばれるデザイナーのエンツィーノ・ミトロ Enzino Mitolo だった。エンツィーノは、私を、しきりに、

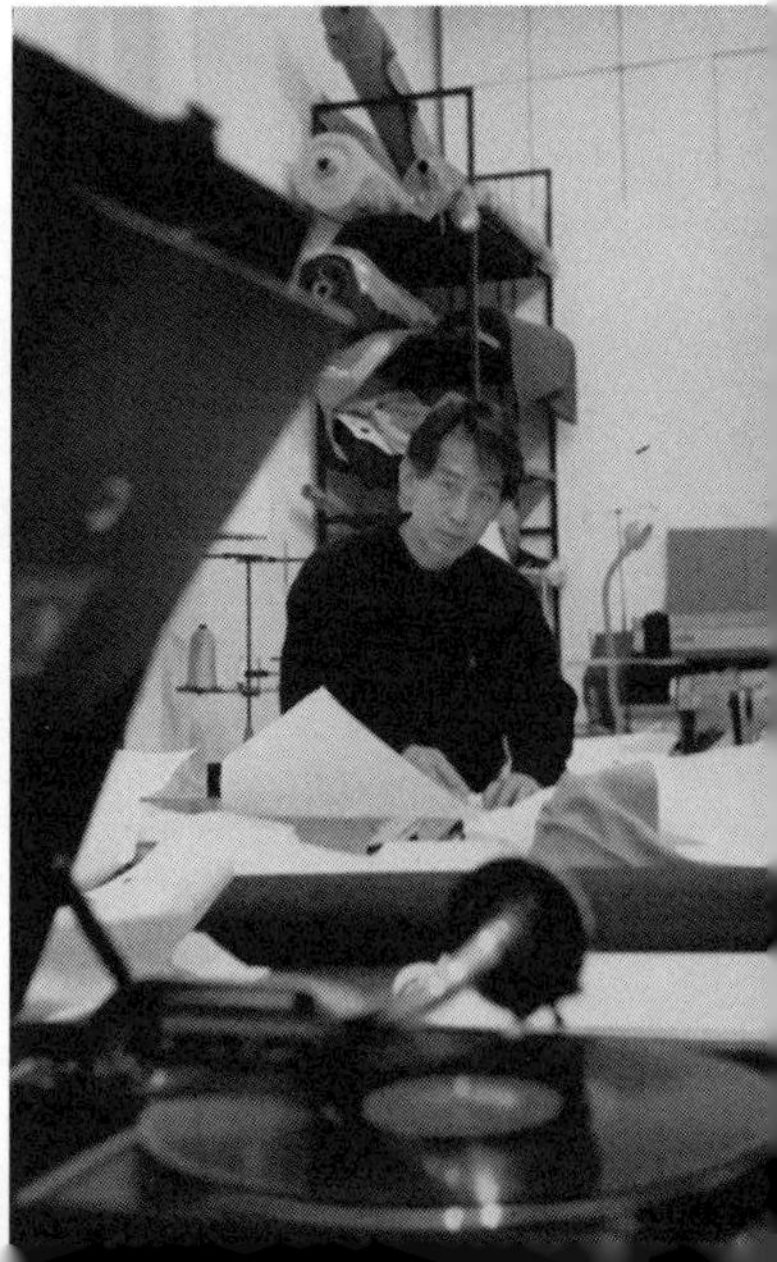

レコードを鳴らしながら

ミラノに来る事を勧めてくれた。彼の誘いには、本気には受け取ってはいなかった。それでもコレクションのチェックにリミニに来るたびに、ミラノに来い！　ミラノに来い！　と、イタリア語をろくに喋れない私に、一生懸命に誘ってくれた。

エンツィーノ・ミトロは、出身地プーリア州バリ市一九四〇年生まれ。二〇二〇年死去八〇歳。バーリ弁護士一家で、父親、兄弟ともに、弁護士。彼自身も弁護士ながら、デザイナーに転職した異色のデザイナー。第二次世界大戦後、フランス・ファッション界の工場として、イタリア・ファッションは、好景気に見舞われ、結果イタリアの中から、デザイナーが出現し始める。Walter Albini, Giorgio Armani, Emilio Pucci, Gianni Versace, Gianfranco Ferre・・・　Enzino は、そんな流れの中、デザイナーになった一人のデザイナーである。ミラノの Corso Venezia 16 番地 Palazzo Servelloni セルベッローニ宮殿に住み、アボカートと呼ばれていた。

一九七〇年代は、イタリア人デザイナーたちが、産声を挙げた時代だった。イタリア・ファッションを支えたのは、古来から存在し、その質と名声を博した生地産業である。故に、イタリア・ファッションは、パリのモード系ファッションではなく、コンサバティブ（保守的）な服を要求されていた。

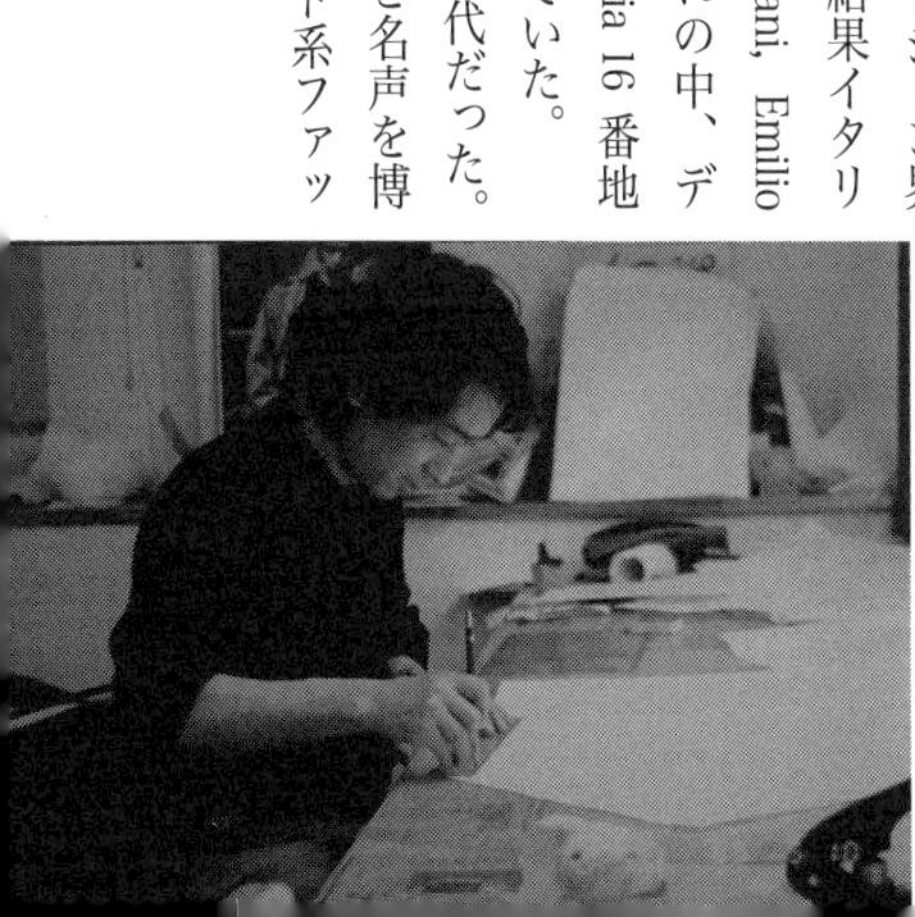
パターン作成中の著者

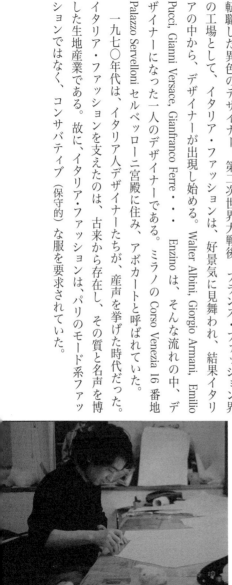

3 ミラノへ、一九八一年

一九八一年の夏の頃だ。

夏のヴァカンスで賑わうリミニのオムニブスでの仕事が終わって、メンズコレクションのデザイナー、エンツィーノ・ミトロを、オムニブスの社長ピエロに紹介された。彼はしきりに、ミラノに来て一緒に仕事をしようと誘ってくれたが、どういう訳だか気が進まなかった

二週間おきにリミニにオムニブスの仕事に来る彼は、執拗にミラノに来る事をすすめる。社長のピエロが「Yoshi、きっと君のために良いチャンスになるはずだよ」とその助言に導かれ、エンツィーノのポルシェ 356 で、Milano をめざした。ミラノに着いたのは、真夜中。

一二月上旬、季節は冬、ミラノ特有の霧に包まれ、なんだか大きな木の扉のある館の中に、入っていった。エンツィーノのアパートは、風格ある良い歴史あるアパートだとすぐに理解した。狭いエレベーターを使って二階で降りる。アパートは一階と二階に分けられ一階入り口は、すぐに居間が二間続き、寝室、シャワー室、トイレ、二階は、ダイニングルーム、小間使いの部屋が二部屋、トイレ、シャワー室、一部屋が私の部屋となった。静謐な佇まいの

アパートは、今居る場所が唯ならぬ館のように、思えた。

Corso Venezia 16番地、Palazzo Serbelloniだ。彼は親切にも、ミラノの自宅に、三か月半、泊めてくれた。

始めて来たミラノの印象は、ローマ、フィレンツェとは違ってヨーロッパの都市の雰囲気が漂っていた。ミラノ特有のネッビア、霧の風景が、暗いイメージを覆っていた。エンツィーノ・ミトロとの出会いは、私のイタリア生活に多大な影響を及ぼすことになってくる。彼とは兄弟のような付き合いが始まっていく。

目覚めると、窓の外には質素ながら、何やら趣のある大理石の円柱の並んだ建物の庇に囲まれた中庭が見えた。薄い残り霧の塊が、消えゆく残像のように、中庭の風景にかろうじて止まっている。時計を見るともう九時に近かった。私が寝る部屋は、エンツィーノのアパートの中の二階の小間物部屋だ。隣の部屋は、トイレと風呂があり、お手伝いが、アイロン掛けをする部屋になっていた。奥の部屋はキッチンとテーブルがある。

エンツィーノの呼ぶ声が聞こえてくる。「コーヒーが入ったぞ！　飲みに来いよ！」

「これから、事務所に出かける、一緒に行くから、用意しろ」と、エンツィーノは奔放、好

Palazzo Serbelloni

き勝手に生きている感じがしたが、彼の行動を自制する要因の中に、キリスト教的博愛に満ちた心遣いを度々感じた。物乞いに出会うと、ポケットから小銭を渡し、他人に施す事を良くしていた。

トイレ、バスルームも上下各一つずつ備わっている。

さて、ミラノの第一日目、アパートの部屋を出、円状の階段を降りると、大理石の彫像が置いてある。子どもが何かから身を守る様に斜め前に布をかざし、やや上目使いで、あるべき視点の物を注視している。どことなく、ミケランジェロの作風に類似している。勝手に、ミケランジェロの作品と決めつけ、数ヶ月間毎朝、挨拶を交わした。門番のオッタービオは、真面目な朴訥とした風貌に、ガッシリとした体躯、笑みを含んだ話ぶりは、信頼感を漂わせ一目で、好感を持った。彼は、トレビーゾの出身である。東イタリアの出身の人と知り合ったのは珍しかった。おおくは、南イタリアからの出稼ぎの人が多いミラノだったからである。

この館は、Corso Venezia 16 番地、Palazzo Serbelloni。一七九六年ナポレオン・ボナパルトがミラノに入城した際、居城とした歴史的由緒ある館であった。また、Emanuel Vittorio 二世がイタリアを統一した際、居城とした館だった。

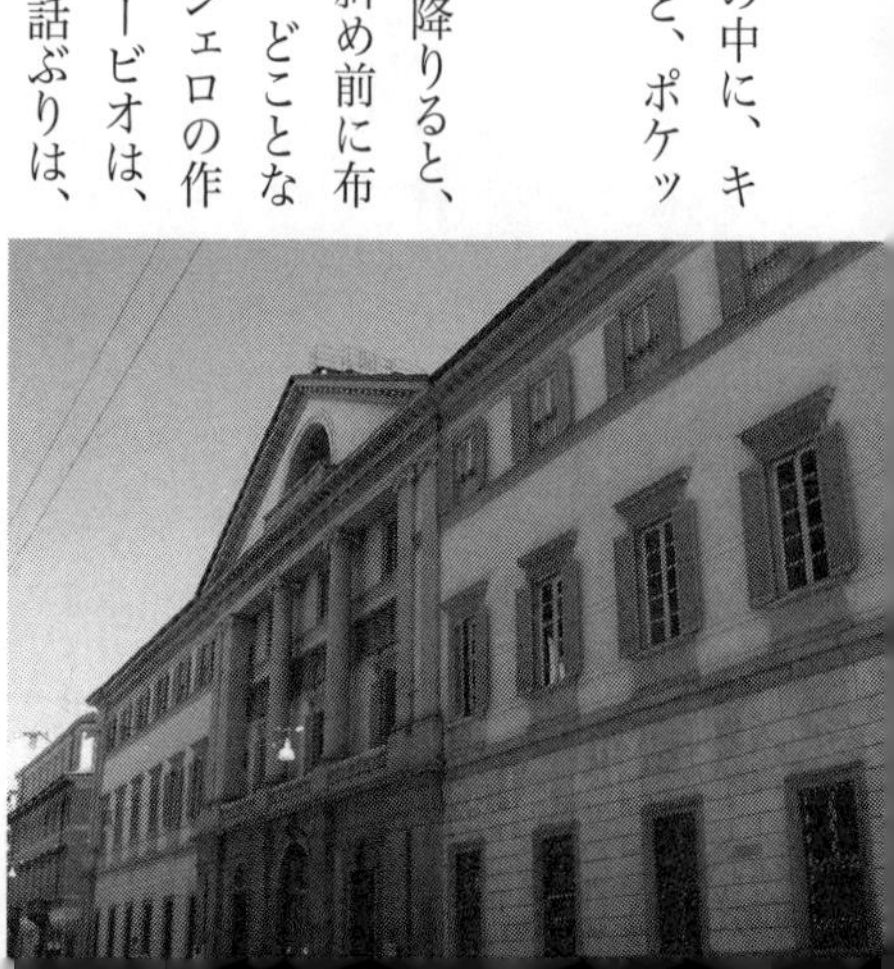

Palazzo Serbelloni

◎ミラノの友人たち（Enzino Mitolo と Istrione 大根役者）

エンツィーノの夢を見た。グレーのスーツを着て、すこし、寂しそうに顎を引き、上目遣いに言った。「ヨシ、心配するなよ。」——直前までマリーザと話しをしていたのは、エンツィーノとの復縁を匂わせる話で、マリーザの真意を探ろうと、私の勝手な親切願望が、エンツィーノの感知することになったことで、反応した言葉だった。夢の中のエンツィーノは、妙にリアリティを含んでいた。エンツィーノは、五年前に亡くなった。八一歳の人生だった。

亡くなる前の数ヶ月、毎週末はコモの病院に、エンツィーノを見舞った。コモの病院に行く度に、着ている服を褒めてくれた。「Yoshi, Bravo! 今の侭、服作りを続ければ良いよ。」

エンツィーノは、余命数ヶ月の身ながら、ホスピタリティに、満ち溢れていた。その彼の気持ちには、人を楽しませる、喜ばせる、驚かせることにあった。話が、大袈裟になって、引っ込みがつかなくなる事も、多々あり、彼、エンツィーノの不在の場では、皆んなが、彼の大ボラを肴に、その場を楽しんだ。大根役者になれない連中も、何処かで大根役者を目指しているような、そんな風なイタリアンの見本がエンツィーノであった。しかし、大ボラな話が、本当の事も良くあった。マダガスカルのヴァカンスでの出来事だそうだ。ホテルのカジノで、大儲けをした時の話は、周りの人たちが、ルーレットでのエンツィーノの一世一代の勝負に、固唾を呑んだ。その場に居合わせたパトリッツィアは、まるで映画のドラマチックなシーンを観ているようだったと回想してくれた。Patrizia Soliani と知り合ったのも、Corso Venezia の16番地、Palazzo Serbelloni だった。

この館の歴史には、由緒ただしき歴史上の人物が登場する。くりかえすが、一七九六年ナポレオンがミラノに入場した際、ナポレオンが居城とした館である。ナポレオンの妻、ジュゼッフィーナは、あの部屋を使っていたんだ、と中庭を斜め上に視線を上げて正面上の階を指差した。一八六五年、イタリアを統一した後、エマニュエル・ビットリオ二世が居城にした館。

エンツィーノはそのパラッツォ・セルベッローニの二階に、住んでいた。二日と空けずに、夕食時は、エンツィーノの友だちが来ては、パーティーだった。そのパーティーで、初めてパトリッツィア・ソリアーニを観た時、まるでジョアンナ・シムカスかと我が眼を疑った。

ジョアンナ・シムカスとは、映画『冒険者たち』のレティ

著者、パトリッツィア、兄アンジェロ・ソリアーニ

La Rocca Cortemaggiore

お城の正面入り口

著者、アンジェロ、渡辺華帆さんと著者、お城の中庭で

シアを演じた七〇年代我が青春の女優である。映画『冒険者たち』は、アラン・ドロン扮するアクロバット飛行士のマヌーとリノ・バンチュラ扮する元レーサーのローラン。この若者たちの金塊探しの単純な冒険映画だ。アラン・ドロンは、恋愛あり、男の友情あり、アクションありの、三流映画ながら、痛快さ、明るさ、奮い立つ男の友情心に、心強く打たれた映画だった。レティシアは、ナチュラルな性格で明るく若くて美しい。二人は、それぞれに彼女への密かな恋心を抱いていながら、お互いのレティシアへの想いに、それぞれの想いを、引き出しの隅に、おしやっていた。因みに、リノ・バンチュラは、イタリア人で、Busetto ブセット出身、本名はリーノ・ベントゥーラ、アメリカに行くと、リノ・バンチュラで名を馳せた俳優となった。パトリッツィアの生まれたCortemaggiore コルテマッジョーレは隣街、曰く村の有名人、友だちだと言った。パルマの北東七キロ郊外の街ブセットは、近世イタリアの精神的支柱とも言えるオペラ作曲家、ジュゼッペ・ヴェルディの生まれ故郷である。

　さて、我がジョアンナ・シムカス嬢は、ブセット近郊の、コルテマッジョーレ城に、生まれ育った。世が世なら、お姫様だったろうか？　パラッツォー・セルベッローニでのエンツィーノのパーティーで、出逢った時は、まるで何処

コルテマッジョーレ城でのパーティー

その馬の骨かと、彼女から見下されたのを覚えている。そう思ったのは、東洋人、日本人が、見た目、体格、容姿共に、遥かに劣るという劣等感が、浮かび上がらせる自己否定がなせる思考だったと今思う。この思考形態は、かなりの時間を経て、消えて行くが数年かかったのを記憶している。

パトリッツィアの恋人Beppe Accorsi ベッペ・アコルシとオペラ話に話題が及んだ時、ジュゼッペ・ヴェルディが切っ掛けとなってベッペは、ブセットに私を招待してくれた。オペラ好きの日本人は、物珍しい存在だったのだろうか？ ブセットには、ジュゼッペ・ヴェルディの親戚だらけで、ベッペは、ブセット在住の建築家、やはり、ヴェルディの末裔だそうだ。彼の友だち、カルロ・ベルゴンツィ、とその二人の息子マルコとマウリッツィオ、を紹介してくれた。

Carlo Bergonzi ベルゴンツィは、当代きっての大テナー、ベルカントオペラのテナーです。Luciano Pavarotti ルチアーノ・パヴァロッティの一世代前にあたるイタリア・テナーの歴史を飾るキャリアをのこしている。ベルゴンツィは、ヴェルディのオペラ、『I Due Foscali 二人のフォスカリ』でデビューした。それで彼のファミリーは、ブセットの村の中心に、「二人のフォスカリ」というホテルを経営していた。パトリッツィアの住むコルテマッジョーレ城で村の知人、友人達を招いては一〇〇人近いパーティを楽しんだ。

La Rocca Cortemaggiore 城は、約五〇〇年の昔、ブラマンテが、建てたお城である。パトリィィツィアの家族はそのお城に何百年も代々住んでいる。お城の二階の一部屋の大きさは、七〇平方メートル、高さは五メートルはゆうにあった。

それらの部屋が廊下を中央に両脇に挟んで五部屋が並んでいた。部屋の真ん中には、二〇〇年前からあるという重厚なベッドが居座っていた。コルテマッジョーレはミラノから南東約八〇キロ、高速道路A-1を走り、所要時間小一時間で着く。この一帯は、有史以来肥沃な自然の恵みに、人々の営々とした営みが、食の宝庫としての豊かな畑が、延々と広がっています。

パルマ王国の一端たる、ブセット、コルテマッジョーレ、ロンコーニ、近代工業都市として栄えたピアチェンツァ、イタリアの心臓部にもあたる、ボローニャ、マントバと肥沃な土地に恵まれたイタリアは、ワイン、チーズ、果物、野菜、肉、魚、その多種に及ぶイタリアの地方料理は、舌鼓を打って、食卓での友人達との時間、空間の共有に満喫感に、包まれる。

一体どれだけの至福な時を友人諸氏と持った事だろうか!

◎ペルージャのブランチェスキー家

ミラノに移ってからも、リミニのオムニブスにはエンツィーノとポルシェ356に乗って、度々仕事にでかけた。とある日曜日の朝、ペルージャまでブランチェスキー、カシミヤのニット工場での、仕事が入っていた。エンツィーノは、ブランチェスキーとコレクション作りを契約し、デザイン、色、ニットコレクションのコントロールをするのである。

エンツィーノの色彩感覚は、イタリア人ならではの非常に見事な、色彩コンビネーションを打ち出して来る。困ったことに、そのインスピレーションは、短絡的で、計画性に欠けていた。良くある話だが、短絡的傾向の動機には、心的不安がある。自分自身感じている事だから、エンツィーノの行動形態が把握できた。又それだけエンツィーノに友情を感じ始めていた。仕事は、彼から降りてきた、デザインを型紙、パターンにおこし、縫製工場で服にする仕事である。

白のポルシェ356は、フォルクスワーゲンのカブト虫より、小さくてギアの踏み込みは、バスのギアチェンジみたいで、スポーツカーとは外見だけで乗り心地は悪かった。リミニを朝の八時に出発した。一路ペルージャを目指した。お昼頃の到着予定だったが、エンツィーノが、「シエナを見た事があるか？　綺麗な中世の街だよ。Yoshi、見たくないか？」とエンツィーノが一方的に聴いてきた。僕の同意を得ると、ポルシェは、一路シエナに向かった。ペルージャのブランチェスキーは、どうなってるのか、少し不安に思ったが、アポは、エンツィーノが指揮っている。

シエナに一三時頃着くと、彼はサッカー場を探し始めた。路上駐車をして、三時間後に会おう、とサッカー場に飛び込んで行った。バリとシエナのサッカーの試合が、おこなわれていた。彼はプーリア州、バリの出身なので、この試合は見逃せなかったのであろう！　私は、年に二回、カンポ広場で行われるパーリオPalioと呼ばれる裸馬のレースが行われる広場のオープン・カフェに座り、ブリオーシュ、カプチーノを注文した。シエナは観光地、時間の中に浮遊する心地よい気だるさの気分に浸っていた。未だこの頃は、日本への郷愁は強く、イタリア生活への不安は、拭いきれないものが存在した。シエナは、行き交う多くの観光客で賑わい、陽気な光は、解放感に溢れ満ちていた。

シエナの絵葉書で東京の同僚、友人に、イタリアで生活している息使いを、綴った。やがて、エンツィーノとの落合う時間に、ポルシェ迄戻ると、バリは試合に負けたのか、エンツィーノは、沈んでいた。直ぐに、気分を陽気さに切り替えて、ペルージャへと向かった。エンツィーノ曰く、これから行くブランチェスキーの家は、お城だそうで、今宵の夕食は、素晴らしい豪華な料理だから、愉しみにしていろ！　奥さんは、若いスウェーデン人の美女だぞ！

ペルージャには、何をしに行くのか、今一つ理解していなかった。ブランチェスキー氏は、ロシアからの亡命貴族だそうで、彼の父親は、誰かに狙撃され、暗殺されたと、物騒な話しをしていた。第二次世界大戦の大量殺し合いの余波は、個人レベルでの報復が至るところで行われていたのだろうと悍ましいすぐ手の届く過去の暗いイメージは、点在していた。彼はカシミヤのニットメーカーを営んでいた。そのコレクションのチェック程度と考えていた。彼ペルージャのブランチェスキー宅に着いたのは夕方一八時三〇分頃、彼の館は、鬱蒼と繁った森の中にどっぷりと夕闇に隠れて暮れていた。

「エンツィーノ!、こんな時間にどうしたんだ? 今朝から、ニット職人を呼んでずっとお前を、待っていたんだ。もう遅くなったから、明日仕事を始めよう!」と、ブランチェスキーが言った。

「いや、明日は、ミラノに戻らなければならないんだ。」とエンツィーノが答えると、ブランチェスキーが、声を荒げて言う。「エンツィーノ、お前、何しに来たんだ! 日曜日の今日、ニット職人を家に呼んで、昼前には着くというお前を一日中待っていたんだ。夕刻に来て、明日朝ミラノに戻るって、仕事はどうするんだ。」

二人は大声で言い争っている。そのうち、言い争いに疲れたエンツィーノが、「分かった、分かった、もう充分だ!」と外に飛び出し、「ヨシ! ミラノに帰るぞ!」と車に戻ろうとした。「エンツィーノ! もう少し良く話し合おう!」と宥め、何がこれから出来るかを話し合い、遅くなって申し訳ないが、ニット職人に再び、来てもらった。夜八時から始まった仕事、九時をすぎると、さすがにお腹が空いた。ブランチェスキーは奥方に、スパゲッティを作るように、命じていた。夕食が用意できたと、奥方が食堂へ誘った。「スパゲッティ・ポモドーロバジリコしかないけれど、よかったら、ツナ缶もありますよ!」奥方が言う。

今日は日曜日で、お手伝いは休みなのだそうだ。食事の後、奥方が、「エンツィーノ、コーヒーは如何?」「コーヒーは良いかな」と彼は断った。「Yoshi 貴方はどう?」「コーヒー、欲しいな!」「Yoshi、コーヒーは、後からホテルで飲もう!」「嗚呼、そうしよう!」。だが奥方は、親切にもコーヒーを持ってきてくれた。「Yoshi 、一口飲ませくれ!」、「あら、エンツィーノ、貴方も欲しいの?」――エンツィーノは、明らかに、スウェーデンのご婦人に遠慮している。遠慮するイタリア人を見たのは、この時がはじめてだった。

夜、一二時過ぎまで仕事をして、外に出た。鬱蒼とした館を囲む森の巨大な木々が、見上げた明るい夜空にそのシルエットを映していた。「ヨシ、此処には孔雀が二〇〇羽以上いるんだ。ブランチェスキー、ライトを持ってきてくれ!」

サーチライトに照らし出された木々の梢に止まる孔雀の群れ、群れ、群れ、群れ!

「こんな放し飼いで、逃げないの?」「エサは、わたしがやるんで、彼らは何処に行こうと言うのかね。」まるで、フェリーニの映画の一シーンの世界だ。イタリア映画の素晴らしいショットの数々は、こんな日常生活に転がっているのだと確信した。すったもんだのブランチェスキー家での出来事だったが、それでも、エンツィーノは、誰からも愛されていた。

◎コモの病院、エンツィーノの病室。二〇一九年

「薬は、もう十分だ。主治医にもう治療は充分だと伝えた。ヨシ、お前はどう思う?」「そ

エンツィーノと娘のアッズーラ

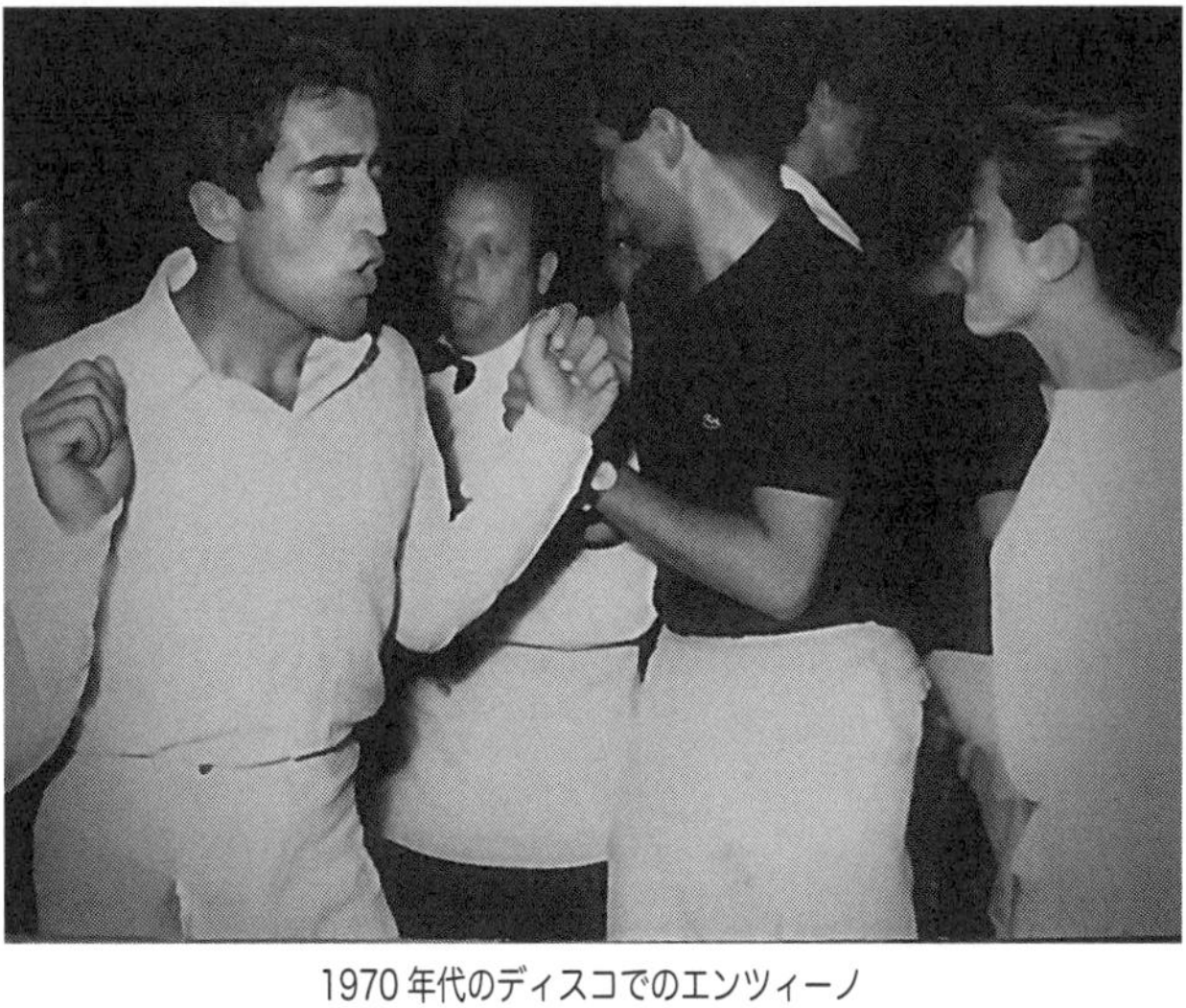

1970 年代のディスコでのエンツィーノ

うだね。薬は、キツいよ、エンツィーノ！」

伸ばしてきたエンツィーノの手は、私の左手を掴んで、「ヨシ、お前は同意してくれると思った。ありがとう。」

エンツィーノの決断は、数日後の彼の死を意味していた。

その場にいた、アンドレア・メンギ*、マリアンジェラ、トニー・ペトルッツィは、一瞬口を噤んだ。

その五日後、エンツィーノは、遺体安置室で、静かに眠っていた。その眠った顔は、まるで五〇歳の壮年時のエンツィーノだった。甘いゲランのEAU de Toiletteをいつも周りに撒き散らし、広いカシミアのストールをジャケットの上から巻き付け、濃いグレーのズボンをはいて、黒の革靴の底に、鉄のびょうを付けさせて、靴底を鳴らし、Palazzo Serbelloniから、Corso Veneziaを闊歩するエンツィーノを彷彿とさせた。Palazzo Serbelloniから、Corso VeneziaをSan Babila広場まで、徒歩で三分、途中にはvia della Spiga、その瀟洒なブティックが建ち並ぶスピーガ通りを抜ける途中、左に折れるとサンタアンドレア通り、モンテナポレオーネ通りと有名ブティックが軒を連ねている。モンテナポレオーネ通りを突き抜け、via Manzoni通り、左折すると、まっすぐ歩いて約三分、右手にオペラの殿堂、スカラ座がそこには、一七七八年以来、ずっと居座っている。そこは、まさに、オペラの殿堂だ。スカラ座広場を通り抜け、エマニュ

ピーノ・ガヴァッツェーニ氏は、CIT社のオーナーを務めた。CIT社の中のブランドBagutta（バグッタ）は、イタリアを代表するシャツのメーカーとして知られている。
* アンドレア・メンギ氏は、Bagutta社の代理人として、ミラノファッションに精通し、人脈の広い人物である。

ピーノ・ガヴァッツェーニ Pino Gavazzeni と

エンツィーノ・ミトロ Enzino Mitolo、アンドレア・メンギ Andrea Menghi。セッベローニ宮殿にて

エルビットリオ二世ガレリアに入り、ガレリアを抜けるとドゥオーモ広場に出る。左手に世界最大級の大聖堂が聳え建つ。ミラノは 未だ車が出現する以前までは、至る所に、運河がはり巡り、ヴェネツィアの様な景観をもっていたそうであった。車の普及が、街中の運河を道路となっていったのは、ムッソリーニ政権以降のことだそうだ。ミラノ・ドゥオーモの石材は、すべての石材運搬は、運河を使っていた。この運河を地中海まで繋ぐという世紀を繋ぐ夢は、蒸汽機関車、自動車の出現によって、消えてしまいます。

コルソ・ヴェネツィア16番地は、ミラノのど真ん中であった。

弁護士でデザイナー、彼のミラノの生活は、女とポルシェとファッションだった。派手な生活をエンジョイしていたが、根っからのクリスチャン、宗教心の厚さは、心優しさ、寛容さと我儘、強引さと気弱さが表裏一体な人格をつくりあげていた。コルソ・ヴェネツィアには、有名なトスカーナ料理のレストラン、ジャッラは、エンツィーノの行きつけのレストランだった。エンツィーノは、いつもツケで、サインをすませ、そこを利用する友人たち、毎月溜まった食事代を、いやというほど支払っていた。彼は、妻、愛人、恋人とその対象をそれぞれに愛していた。良い言い方でも、妻の立場、愛人の立場、恋人の立場、それぞれの立場からは、非難され居場所を無くしていたドン・ジョバンニさながらのプレイボーイ、女性遍歴の活躍ぶりだつた。

4　オペラに惹かれ　至高の感動を知る

ミラノスカラ座

ローマからミラノに住まいを移した。ミラノ四カ月に及ぶパラッツォ・セルベッローニの生活は、今思いだせば、ミラノのど真ん中、ミラノスカラ座まで徒歩五分、スカラ座は我が庭の中にあったという最高な環境の中に居た。

エンツィーノは、マリーザ・マレルバ Marisa Malerba、Tutti Insieme の社長を紹介してくれた。Tutti Insieme は、レディースのニットメーカーだった。マリーザは、すぐに一部屋に案内し、「此処が貴方の仕事場よ。外の仕事をしても自由に此処を使っていいよ！　但し Tutti Insieme の仕事を優先してね。月に、一五〇万リラ（ユーロ換算七五〇ユーロ、円環算一二万円）、自由に仕事して良いわよ。」ミラノに着いてすぐに仕事場が与えられた。しかも月給を貰う。なんだか訳がわからん話しながらも、オムニブスのピエロのアドバイスが、こういう事か納得して、頑張る

ミラノで勤めた Tutti Insieme。最前列左端、社長のマリーザ・マレルバ Marisa Malerba 会社の仲間達

Tutti Insieme での、著者の作品

Tutti Insieme!
35 年振りに再会
日本帰国を決め、マリーザに、みんな一緒に、食事をしようと再会！私の日本帰国の事は、告げなかった。楽しい思い出が、新たに注ぎ込まれた。

決意に燃えた。

一二月七日、ミラノの聖人、サンタンブロージュの祭日が近づく。スカラ座のオペラシーズン開幕日は、ミラノの聖人、サンタンブロージュの日である。

マリーザに、たずねた。スカラ座の切符はどうして手に入れるのかと。エミーリオ・ザッパに電話して、欲しい演目の切符を尋ねなさい。ザッパは、スカラ座の切符売り場のボスだった。彼は天井桟敷、第一ガレリアの席をとってくれた。スカラ座に初めてのオペラ観劇が、シーズン初日である。

一九八二年度のオープニングは、ローエングリーン、ワーグナーのオペラではじまった。その日は、事務所から直行した。ジーンズにジャケット、全くの普段着、なんという不覚だったのだろうか！　シーズン初日のスカラ座の観客の衣装は、タキシードにドレスアップした紳士淑女のオンパレード、私の横の御婦人は、私に、観光客かと話しかけてきた。ワーグナーは初めて、しかもローエングリーンのストーリーも知らず、ただただ劇場の絢爛豪華さに圧倒されてしまった。しかし、ザッパ氏と知己を得た事は、一九八〇年代、スカラ座へのパスポート、切符は何ら問題はなかった。かずかずの著名な音楽家のリサイタル、人気のオペラは、複数回聴いた。今尚思い出深いコンサートは、と問われれば、まず、ウラディミール・ホロヴィッツのコンサートだろうか？

◎ピアノ　ウラディミール・ホロヴィッツとの握手

一九八五年一一月一七日、ウラディミール・ホロヴィッツ*のコンサート。

ミラノのスカラ座でコンサートをするのを知り、マリーザを誘った。直ぐに、ザッパに連絡をとり、三階やや中央寄りのパルコ席を、丸ごと抑えた。マリーザが全てを支払い、マリーザの友人でホロヴィッツ・ファンを、十人近く詰め込んだ。

スカラ座は、第二次世界大戦でイギリス軍の爆撃によって半壊した。戦後、ジュゼッペ・ヴェルディの後継者とでも言うべき指揮者アルトゥール・トスカニーニによって、スカラ座は再建された。そのトスカニーニの次女、ワンダ・トスカニーニ婦人は、ホロヴィッツの奥方である。今世紀最高のピアニスト、五〇年振りのホロヴィッツのスカラ座公演に、行かない手はないとマリーザ・マレルバを説得した。正直言って、ホロヴィッツの演奏会に行くと言う高貴なイベントに舞い上がり、彼の演奏にコミュニケーションを持てないままコンサートはおわった。その時のウラディミール・ホロヴィッツは、大きな、蝶の様なパピヨン、エレガントなピアノ演奏が強く印象的だった。その一年後、香港在住、香港人のヘレン・ウォンと、彼女の友達、中華料理店、ロンフォンのオーナーのリタとその夫、ダビデの四人で、セナート通りにある、魚料理のレストラン・アルフィオに出かけた。

扉を開き、レストランに入ると、中央の長いテーブルの主席に、マエストロ、ホロヴィッツが、

* Vladimir Samoilovich Horowitz　1903年(ウクライナ生)1989年（アメリカ没)。史上最も偉大なピアニストの一人である。妻は指揮者のアルトゥーロ・トスカニーニの次女である。指を伸ばして弾くその打鍵法には、独特のテクニックが使われて、最弱音から最強音までの強弱法は、聴衆を魅了させた。マエストロ・ジャナンドレア・ガヴァッツェーニとは、ワンダ夫人と幼馴染という縁もあってか、音楽の友情とで結ばれていた。

ワンダ夫人を右脇に、スカラ座の総支配人ら五名で会食中だった。

直ぐに、アルフィオのマネージャーを呼んだ。「マエストロ・ホロヴィッツですよね。お話ししたいので、許可を頂きたいのですが?」「マエストロと話したいのは、貴方でしょ！　貴方が直接行って話なさい。」「良いかな?」「行け、行け！行きなさい、行きなさい！」と勇気づけてくれた。

「Buonasera, maestro!」と蛮勇を奮って、マエストロ・ホロヴィッツの前に立った。一昨年のスカラ座でのコンサートの感激を伝えると、マエストロは、貴方は、日本人か？と聞かれた。

日本での三度にわたるコンサートを開催した事を語られた。大きな話題を巻き起こした事を伝えた。

ワンダ夫人がイタリア語で、話しかけてきた。「貴方はミラノに住んでいるの?」暫くイタリア語で会話したら、「Io non'ho capito, non'ho capito! (わたしには、イタリア語は、分からない、分からない！)」と、マエストロが、イタリア語で口を挟んできた。そうしてるうちに、セコンド・ピアットの舌ヒラメのムニエルが、テーブルに給仕されたので、良いお食事をと場を辞した。

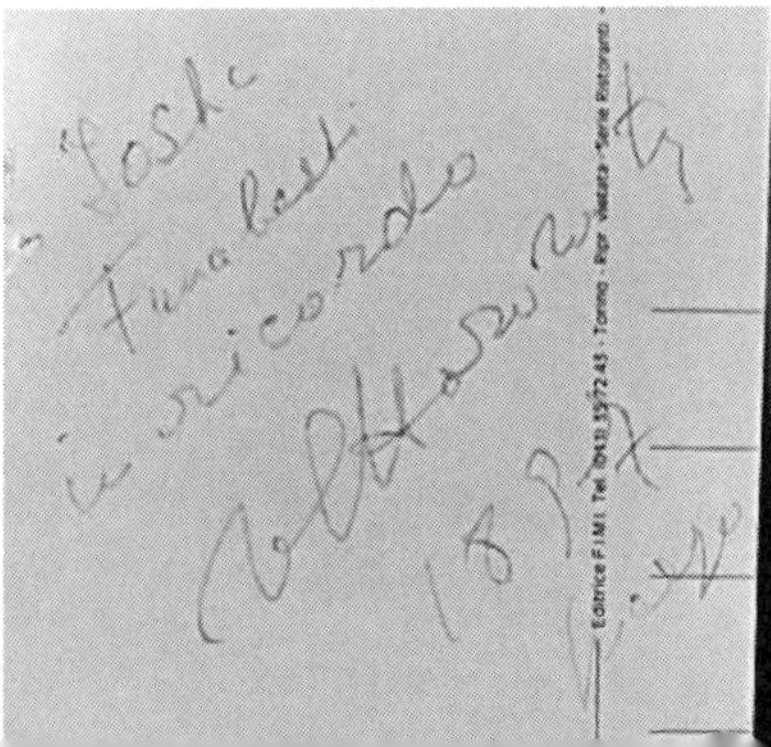

その間、何を食したのか、友人達と何を話したかの記憶はすっかり飛んでない。マエストロ・ホロヴィッツの夕食のテーブルが終わる頃、マネージャーに、マエストロのサインが欲しい、聞いて欲しいと頼むと、マエストロは、私の方を見て、手でおいで！おいで！と呼んでくれた。

ウラディミール・ホロヴィッツ、そして、その大きな手で握手をしていただいた。その手の感触は、柔らかく、彼の手の温もりに沈んでいく様な感触に、嗚呼、この手はペンとフォークとナイフしか持った事のない、正に労働と縁の無い、音楽に捧げられた手だった。

ちなみに、一八九七年は、一九八七年――マエストロの間違いである。思わぬマエストロとの邂逅に興奮と感動との喜びに満ち溢れてすっかり浮かれてしまった。今世紀最高のピアニストの奇跡の手と握手したのだ。その感触、感覚は一生消えることのない強い刻印を、胸に刻みこんだ。

◎オペラ、偉大なるガヴァッツェーニ父子との交際――Gianandrea Gavazzeni と Pino Gavazzeni

スカラ座で、日本人ソプラノ歌手林康子さんが、ヴェルディ作曲『第一回十字軍のロンバルディア人』を歌う。早速切符を、ザッパ氏に頼んだ。ガレリア席、あまり良い席ではなかったが、林康子さんの声は、ガレリア席に突き刺さるが如く飛んで来た。日本人ソプラノには、ドラマティックな声量を持つ歌手は少ない。そんな存在の彼女は、素晴らしい歌唱で、ダブ

20世紀最高のピアニスト、ウラディミール・ホロヴィッツともらったサイン

ルキャストのゲーナ・ディミトローヴァを凌駕していた。

いつしかヴェルディの音楽に魅せられていた。音楽には具体的な説明がない。ただ演奏される音楽に、聴衆が何かを感じその音に酔いしれる摩訶不思議な芸術である。

オーケストラの奏でる間奏曲を指揮する老指揮者のタクトの切先から、音楽が生まれ出るのを観た。完璧にコントロールされたオーケストラの音の美しさと初めて出会った。オープニングで、登場した時は、その指揮者の足取りの覚束なさに、大丈夫かなと不安が過ぎったのを思い出した。が、その指揮者の指揮棒の動きと音楽性とに強くコミュニケートしてしまった。翌日、コルソ・ヴェネツィアのパラッツォ・セルベッローニに住むエンツィーノに、昨夜のスカラ座のオペラの感動を伝えた。

「指揮者の名前は何ていう?」「ガヴァッツ！ なんとか言ってたな!」、「ジャナンドレア・ガヴァッツェーニ、ピーノのパパだよ。今度紹介するよ。」ピーノは、「バグッタ」というシャツメーカーのオーナーである。

その週の土曜日、エンツィーノのアパートでピーノ・ガヴァッツェーニ氏を紹介された。ピーノは直ぐの日曜日、ベルガモのマエストロの自宅に、招待してくれた。そしてマエストロ・ジャナンドレア・ガヴァッツェーニ†との夕食をごちそうになった。アンティパスト、生ハムとメロン、ウサギの煮込とポレンタ、ベルガモ料理だった。ワインは、バレバレスコ、余りの美

† 1909年7月25日生、1996年2月5日没。ベルガモに生まれる。作曲家、指揮者、音楽学者、音楽評論家、エッセイスト。1955年代イタリアオペラ界は、第二次黄金時代を迎え、二人の天才を持った。マリア・カラス Maria Callas、とジャナンドレア・ガヴァッツェーニ。1948年から50年間にわたり、ミラノ・スカラ座の主席指揮者、1965年から1968年、芸術監督を務めた。86歳でベルガモで、没した。スカラ座は、ベートーベンの交響曲3番「英雄」の2楽章をリッカルド・ムーティの指揮で、無人の観客の前で演奏しその業績を称えた。アルトゥーロ・トスカニーニ以来のスカラ座葬だった。

マエストロ・ジャナンドレア・ガヴァッツェーニ

味しさに、少し飲みすぎ、マエストロの前で、つい、居眠りをしてしまった。「おお！ 私達のYoshiは、居眠りをしてるよ！」はっとして、目覚めると、マエストロの奥方、ピヌッチァさんは、「Yoshi、貴方は、ワインを飲むと睡魔に襲われるそうですね。車を運転する時には、ワインを控える事は、大切ですね。」

マエストロの自宅を辞する時の、マエストロの奥様の言葉を、肝に命じた。

エンツィーノを介して知己を得たピーノとは、音楽、特にオペラ、そして、初期印象派の絵画、とくにギュスターヴ・クールベのコレクターとして多数の絵画を所蔵していた。音楽と絵画に存在する感覚的、感受性の一致する領域を深く認識する切っ掛けを、彼から教わった。

クールベの絵には、画家の視覚感覚を通して、描かれる自然風景の描写に伴い、あるがままの空気感、時間、静謐さ、観る側の感覚を揺り動かすことに焦点を当てているかのようである。感覚は無限の要素に満ち溢れる。芸術の妙な魅力であろうか。音楽もまた様々な感覚、感情を呼び起こします。

ベルガモアルタのマエストロの自宅は、登山鉄道の終着駅via del porta 5、ベルガモの街を一望する展望に開けた素晴らしい場所にあった。アップライトのピアノの上に、荒波が寄せる冬の海の風景画が、印象に残っている。ギュスターヴ・クールベに間違いはない。

「君たち日本人は、何故西洋の音楽を学び、西洋の絵を描くのですか?」マエストロは、単純かつ辛辣な質問を投げかけて来た。サムライの歴史が幕を降ろそうとした時期、西洋の列強国は、アジアに植民地を求め、中国はドイツ、フランス、イギリス、に国土を割譲された。一八六八年日本の新政府は、欧化主義を取り、教育においても、音楽はドイツ、オーストラリアに、絵画はイタリア、道路交通法はイギリス、日本憲法はドイツ、というふうに西洋化を目指した。ですから西洋音楽、絵画は、幼いときから学校で習っているんですよ、と日本の近代化を説明した。「ho capito! 分かった!」とマエストロは、そう答えた。

「私はマエストロの音楽と深くコミュニケートしました。それで、マエストロにとって、音楽とは、何ですか? 私に言葉で説明してください。」と聞いたら「それはバカな質問だ。Yoshi、君がスカラ座に行く動機を聞かれるのと同じだよ。」と答えて付け加えた。「私は毎朝一、二時間ピアノを弾く。そして二〇年前に演奏したオペラを今また演奏する時、振り出しに戻り、一からまたそれと向き合う。時間は今の私と昔の私とを変化させているからだ。」「私にとって、音楽とは同じ畑を毎日毎日耕している、その行為が私にとって、音楽だ。」マエストロの言葉は、ストンとお腹に落ちた。このやりとりはずっと記憶に深く残っているのも、西洋と日本の違いの深い歴史・文化の問題が、自分のこととして覆い被さってきたからだ。
マエストロは毎日、毎日、同じ場所を耕す、それが私に取っての音楽だ、Coltivare を Culture の語源と理解しマエストロの格言を勝手に作り上げた。それからは、マエストロ Gianandrea Gavazzeni の追っかけがはじまった。夢遊病の女、ヴェスプリ シシリアーノ、蝶々夫人、愛の妙薬、フェードラ、アドリアーナ・ルクヴルール、ラ・ボエーム、ロベルト・デヴリュー、イ・ロンバルディ (I Lombardi alla prima crociata)、ジャンニ・スキッキ、外套、エルナーニ・・・
毎回毎回、マエストロの指揮棒の切先から、音楽が生まれ出ずるを観た。そのスタイルには、派手さは無く、柔らかいオーケストラを制御する左手の動き、右の手の指揮棒はテンポ、リズム、オーケストレーションを生み出し、自然の様々な様相を表現していた。音楽はキャンバスに描かれるギュスターヴ・クールベのあるがままの自然風景の絵画のように、劇場空間に響き渡り聴衆を魅了する。いつしかその辿る道の先には、様々な時代を経て生み出されて来た作曲家たちとのコミュニケーションを形作ってゆくこととなっていった。感覚を使う事で感性を磨き、感覚は際限無く感性を研ぎ澄ませ、その対象は物質的現実性から時間空間への抽象性へと領域を拡げてゆく。全ては、マエストロの指揮棒の切先に集中された感覚とのコミュニケーションから生まれた。いつしか、マエストロの音楽と共にいる感覚に、心地良さに、得難い感動を覚えていた。

◎オペラ『ラ・ボエーム』終了後のミミとロドルフォ――ロベルト・アラーニャの涙

マエストロの指揮棒の切先から生まれる音楽に取り憑かれた。スカラ座でのラ・ボエーム La Bohème 公演も、全公演を聴いた。

お針子のミミと詩人のロドルフォの出会い、男と女の自然な恋の駆け引き、ミミは鍵をワザと落とし、ロドルフォに鍵を探させる。この場の共有する時間を持ち続けたいロドルフォは、蝋燭の火を消す。薄暗闇の手探りで鍵を探す二人、やがて手と手が触れ合い、二人の恋の想いのコミュニケーションが、生まれる。

第一幕は、若きボヘミアンたちのそれぞれの生活と人間関係が謳われている。

第二幕目は、巴里の街の雑踏、カフェ・モミュス館での仲間の雑談情景、絵描きのマルチェッロと歌手のムゼッタの痴話喧嘩騒ぎ、パリの喧騒と情景を描く。

第三幕、ボヘミアンの生活に現実の冷たい風が吹きこむ。ミミは胸を煩いロドルフォにはミミの病を支えることが出来なく、自分と一緒にいてはミミは死んでしまうと、ロドルフォはミミとの別れを決意する。

三幕目の終わり、ミミの歌う『Donde lieta usci al tuo grido d'amore』ミレッラ・フレーニ扮するミミの歌うこのアリアは、悲しく、情感に溢れ、雪の深々と降る様に、観客はこぞって拍手を送ろうとする。

マエストロの左手が、『拍手を辞めろ！』と後ろの観客席に向けて静止し始めた。それでも拍手が止まない。マエストロは、その制止させる左手の動きを、上に振り上げ、そのまま左手にある台を、大きく振り降ろし叩いた。『バーン！』劇場一杯に響いた一撃に、場内は、一瞬、息を呑むほど静まった。その数拍後、ジャンジャン！と三幕目が終わった、オーケストラに最後のタクトがおろされると、その瞬間、割れんばかりの拍手とブラボー、ブラバー、ブラビーと劇場が一体化していった。正に演奏者と観客と劇場とが一体化した空間の出現である。こんな瞬間は、幾度あるだろうか？　この瞬間との出会いが、オペラ、スカラ座観劇を余儀ないものにしている。

四幕目が始まる。ミミは、ロドルフォのアパートに戻って病に伏せ、ベッドにねている。ムゼッタは、不幸なミミのために、神への祈りを捧げている。ショナールは、古い外套を売って、ミミの薬代にと外套に別れを告げている。みんながアパートに帰って来る。仲間の哀しい、重い暗鬱とした空気が、ミミの病の重さが伝わってくる。ロドルフォはカーテンを閉めに窓際へいく。

みんなは、ミミが既に息をしていないのに気づく。

『ミミはほらよく眠っているよ！』とロドルフォがみんなに言う。

静かな沈黙が息を呑む、とその瞬間、自分に何かを伝えて来る冷たい視線を感じ、『ほらよく眠っているよ!』

『どうして、そんな目で僕をみるんだ!』

『ミミー! ミミー!』とロドルフォの悲しみで、ラ・ボエームの幕は降りる。

このミミの病いが死を暗示させるオーケスレーション、ボヘミアンたちのそれぞれの想いが、場面の哀しみを増大させます。ロドルフォが、カーテンを開けに窓際に寄る。既に息絶えたミミに気づいた仲間たち、一瞬異様な雰囲気に気がつき、ミミの異変を察知するロドルフォ、最後のオーケストレーションの悲痛な美しさに被さるロドルフォの『ミミー! ミミー!』と泣き叫ぶ声とが、いつまでも身体に響きます。ラ・ボエームの青春の甘く淡い涙味のする、誰にもあった時代の刻印であろうか? ラ・ボエームの終幕が、これ程劇的だったのかと、改めてプッチーニのオペラオーケストレーションの奥深さを、認識した。

『ラ・ボエーム』これほど悲しみに覆われたオペラだったんだと痛感して感動していた。聴衆の歓喜に応えるべく、カーテンコールに、ミレッラ・フレーニ、ロベルト・アラーニャが登場すると、また拍手、ブラバー、ブラーボの声援が続く。

天井桟敷から、オペラグラスで二人を観ていると、ロベルト・アラーニャが、フレーニの肩に額を乗せて、涙を流して泣いている。エッ！　大袈裟だな、芝居が終わったのに、未だ引きずっているのか？　とアラーニャに違和感を覚えていた。

マエストロの楽屋に挨拶に行く。手を叩きながら、「ブラーボ！　マエストロ！」「ボナセーラ、'Yoshi'、「'Yoshi'、アラーニャの妻が、一週間前に、癌で亡くなったのを知ってましたか？」アラーニャは、つい一週間前に自分自身に起きた現実、妻の死、その悲劇を、オペラの舞台で演じたのだった。共演者も又その事を知っていた。あの最終幕の臨場感は、それを物語っていた。ロドルフォ役のロベルト・アラーニャは、一週間前の家族の悲劇と同じ悲劇を、舞台の上で演じた事になる。虚構の齎すドラマトゥルギー以上に、その迫真さは、オペラの持つ醍醐味に深く感動した。これまで何度も観たラ・ボエーム、若き日の情熱、希望、恋愛、失望、失意、裏切り、だれもが通過した全ての若さのエネルギーへの憧憬を彷彿とさせてくれた。

この公演前に、マエストロの談話が、コリエデルセーラに載っていた。ジュゼッペ・ディ・ステファーノ演じるロドルフォの「如何してそんな顔をして私を見るんだ」そしてロドルフォが、ミミが息をしていないのを感じて、『ミミー！　ミミー！』と泣き叫ぶのを聴き、母が亡って以来、流したことのない涙に溢れていた、とプッチーニのオペラ、「ラ・ボエーム」について語っていました。

控室には、ピーノが先に来ていた。マエストロのオペラの公演の時は、孫の双子の兄弟、ジョバンニ、カルロ、ピーノの次男パオロ、その誰かが、常に、マエストロの送り迎えをしていた。

「Yoshi、ホテル・ドゥオーモまで、パパを送って行かないか？」スカラ座の、職員達の通用門から、フィイロドラマティコ通りを先に歩くマエストロに向かって、ピーノが、後ろから声をかける。「ブラボー！　パパ！」立ち止まって、振り向いたマエストロは、片方の口端を締め、頬を緩めて、笑って答える。ホテル・ドゥオーモは、ピアッツァ・スカラから百メートル、ホテルに着くと、私とピーノに、真っ直ぐに向いて、「カフェを飲んで行かないか？」と誘われた。ホテル・ドゥオーモのエントランスのテーブルに着く。マエストロは、オペラ終了後はカプチーノを飲むのだそうだ。因みに、オペラが始まる直前には、ウィスキーを、シングルでストレートで飲むのだそうだ。私はカフェ・ルンゴ、ピーノはカフェを頼んだ。

マエストロは至極満足そうに、カプチーノを啜り、「ロッジョーネの観客は、どうだったか？」と聞かれた。「大満足、台を叩いて演奏したマエストロに驚き、歓喜の渦でした。」ら・ボエームの公演のあれこれで、「ムゼッタは、」と、ソプラノの批評を始めようとした矢先、マエストロは、「あのソプラノ、ムゼッタは、ブラビッシマ、ファンタスティカ」、とマエストロは褒め称えた。彼女の少し大袈裟な表現と好きな発声ではなかった、と言おうとした言葉を、呑みこんだ。ピーノは、何も言わずに、パパ、おやすみと別れを告げマエストロに、挨拶をして、ホテルを出た。ピーノは、マエストロの恋に、危惧を抱いていた。

その年の夏、マエストロの結婚が、コリエデルセーラのニュースで報じられた。直ぐにお祝いの電報を、マエストロに送った。マエストロから返信の電報が届いた。「私の人生は、再び、花が開き始めました」とあった。

マエストロ・ガヴァッツェーニの死

マエストロ・ガヴァッツェーニの悲報を、親友のアンドレ・メンギからの電話で受けた。直ぐにベルガモアルタのマエストロの自宅へと向かった。マエストロの自宅には、ピーノ、フランコ、アンドレア、ジョバンニ、パオロ、カルロ、マリア、フランカ、・・・マエストロと最後のお別れをした。"Bravo! Maestro !"と告げた。すると、涙が溢れ、深い哀しみに包まれた。翌日はスカラ座葬、トスカニーニ以来のスカラ座葬で、スカラ座のファンとのお別れのスカラ座葬が執り行われた。

その日は、スカラ座の常任指揮者Maestro RICCARDO MUTIが、観客が誰一人いない劇場で、ベートーベンの「英雄」を指揮した。

マエストロ・リッカルド・ムーティは、イタリアを離れていたにも拘らず、プライベートジェットで急ぎミラノに戻り、マエストロ・ガヴァッツェーニのスカラ葬に駆けつけたそうだ。

一階エントランス・ホールに置かれた棺に、音楽愛好家の人々がマエストロとの別れの挨拶をしていた。「人の死には、階級がある」と言った三島由紀夫の言葉を思い出した。様々な、

リッカルド・ムーティ
Riccardo Muti(1941-)
1986~2005年、ミラノ・スカラ座
音楽監督

マエストロから送られた写真

マエストロのオペラを聴いた。いつも感動したのは、マエストロの指揮棒から生まれる音楽は、聴衆の情感に訴え音楽の持つ感覚的、官能の世界へと引き込んでくれた。その表現しがたい音楽的共感は、マエストロの音楽性、人となりを表現していた。マエストロの音楽には、確固とした哲学があり、ブレない感覚的音楽性は、表現する時の流れとなって、聴衆と演奏家と劇場とが一体化されて、劇場空間に、人々の感覚、感情のエネルギーが音と共鳴し合い宇宙の始まりに在った一瞬間が、再現される。スカラ座の広場には、オペラファン、マエストロのファンで埋め尽くされていた。神妙な面持ちで、色々な事を、マエストロの棺の前で、マエストロとの対話を想い描き、暫くは佇んでいた。

「貴方は日本の方ですか?」と日本語で声をかけられた。振り替えると、二月の寒い中、キャメル色のムートンの毛皮のハーフコートを羽織ったホセ・カレーラスが、隣に立っていた。驚くより、あまりの深い哀しみに、世界の三大テナーの一人ホセ・カレーラスが声を掛けてくれたのに、コンタクトをとることさえ、忘れていた。「はいそうです。」と答えて、会話が途切れ、ホセ・カレーラスは、人混みに消えてしまいました。

その日のコォッリエーレデッラセーラに、カレーラスのマエストロ・ガヴァッツェーニへの追悼文？　が出ていた。その中、ホセ・カレーラスのコメントが、あった。

急性白血病の手術後、『フェードラ』、ローリス役に出演した際、本番前に、マエストロ・ガヴァッツェーニが、楽屋を訪ねてくれました。『私は、貴方の後に常にいます。何ら心配する事なく、歌ってください。私がしっかりと、支えています』と声を掛けていただきました。自分の歌手人生で、指揮者が、楽屋にまできて、こうした温かい言葉をかけて戴いたのは、自分の歌手人生の中で、初めての出来事です。マエストロ・ガヴァッツェーニのこの行為には、感動の念を覚えました、と。

そのコメントには、カレーラスのマエストロへの、指揮者、音楽家としての尊敬と故人への哀悼の意を表現していたのを思い出す。

この『フェードラ』はウンベルト・ジョルダーノ作曲のヴェリズモ・オペラ、声の重さに、ドラマティックさに表現の重きを置く。歌手、特にローリス役、テナーには過酷なオペラだ。白血病手術後のカレーラスにとっては、難しい役だったに違いない。フェードラはミレッラ・フレーニ、ローリスはプラシド・ドミンゴ、ホセ・カレーラスとのダブルキャストだった。このフェー

ホセ・カレーラスのサイン、
1987年

ドラの公演を、全公演観劇した。ドミンゴの時も、聴いた。高齢のマエストロのオペラ演奏そのものに、価値を覚えていたからだ。

マエストロの孫、ピーノの長女マリアが、パオロ・オルランドと婚約しそのお披露目の夕食会がとりおこなわれた。

ピーノがその食事会に招待してくれた。スカラ座での『フェードラ』は、大成功のうちに、初日、二日目、と終わった後、つまり、カレーラスとドミンゴの二人の大テナーを聴いた後だった。マエストロとの夕食に同席した。食後の歓談中に、マエストロに訊いた。

「マエストロ！　マエストロは、個人的には、カレーラスとドミンゴのどちらがお好きですか？」

「バカな質問だ。私はあの偉大な二人のテナーの音楽性をどう引き出すかが最大の関心事だ。二人はそれぞれ違う、そして素晴らしい。」

食事の後、Pino がそっと囁いた。「Yoshi、パパはああ言ったが、二人とも最高潮の時は過ぎている。そんな中で、明らかに情緒的表現に優れているカレーラスをパパは好きに違いないよ。」と言った。私もそう思っていた。

ピーノとマエストロとの関係は、尊敬しうる父子関係で、観ていて心地良かった。ピーノは、ことあるごとにマエストロ・ガヴァッツェーニのオペラ公演のチケットを用意してくれた。あの日、マエストロのお墓までは立ち会わなかった。

マエストロの棺の前に、黙祷して最後の挨拶をするオペラファンの数は、スカラ座広場を埋め尽くしていた。

◎なんちゃってイタリア！

四十二年間過ごしたイタリア。オペラあり、ナポリ民謡あり、映画、絵画、建築、ファッション、グルメ、海と、山に囲まれた自然、そしてイタリア人が、イタリア語が聴こえてくる。

日本に戻り此処日本からイタリアを鑑みて、こう考えました。

「イタリア語を話すと何故か、頬に緩んだ表情が浮かぶ。イタリア語は、ストレスの少ない言語だなあ！

路上でイタリア語を聞く、するともう、話し掛けている。まるで十年来の知人になる。

イタリア在住の時は、周りはすべてイタリア人だから、毎日毎日イタリア語を話すから、気づかなかったが、日本に住んでると、イタリア語が、恋しく、喋りたくなり、イタリア人に話し掛ける機会を求めている。

心の通気性が良い言語であり、それが明るいイタリア人気質に繋がっている。

Ciao! Com'è stai! と挨拶すれば、日常のカーテンが開かれる。

そこには、明るい響きが広がって、一日を心地よくしてゆく魔法が隠されている。」

そこには、そんな、なんちゃってイタリアが、沢山存在している。

スカラ座の劇場内に、丸く開いた花弁の可憐な花が無数に開くシンプルで存在感あるシャンデリア。

5 SPレコードでオペラを聴く

便利さの追求　音楽の枯渇

ＳＰレコードに魅せられて四十年は経つ。音響機器の普及は、まさにこの蓄音機の発明から始まった。エジソンが円筒に声を録音再生するフォノグラフを発明したとき、音楽の再生を目的としたものではなく、声をメモする、口述記録用の手段、方法のためであった。声の録音は、多くの人が驚嘆した。そしてエミール・ベルリナーが、円盤に吹きこむ方法を考案し、その特許を申請し、その機械をグラモフォンと名付けた。そうして、大衆に音楽を提供することに情熱を傾け、音楽のレコード化が始まります。

一九世紀の終わりのころ、産業革命が突き進み、社会の基盤が、固まり始めたころです。音響機器の歴史には、音楽の流れ、音楽に関わる歴史的なその時代時代の生活の名残りが、詰まっています。それぞれの機種にその時代の生活、考え方が反映していて、人間の知恵と興味の対象がいろんな発明をもたらしてきました。と同時に知恵と技術による機械の発達は、その音楽の本質的な内容さえも変化させていきます。必要とした物が、簡単に手に入るようになると、別の要素、目的を探し、その製品化に躍起となって、目的とした当初の必要性からは質的変化が生じてきます。資本主義の本質は、人間の可能性と欲望とに深く結びついています。

昨今の音響機器のデジタル化には、その進歩のスピードについていけず、故に困惑してしまう。いままでは、毎年毎年新しいデジタルシステム、新開発された機器は、それを理解し、使いこなせない、越えることが難しい壁が出来上がってしまった。市場に流れこんでくる新製品に対する拒否反応は、迷路に落ちこんでいるようです。今では機械音痴ならぬデジタル音痴、情報社会に、縁を切られた存在となってしまいましたが、でもそれで良いと納得しています。

音響に興味を抱いたころに想いを馳せて見ると、音響の歴史は様々な機種、新しいシステムが、出現しては、物置きに仕舞いこまれる、の繰返しでした。音響雑誌を読み、新製品を絞りこみする。いざ購入しようとしていたら、何ヵ月後かに新製品が発売されると雑誌で、宣伝している。買う時期を混乱させられ、そのまま今ある機種を使い続ける。そうしている内に、音響機器音痴へと押しやられてしまいます

一九五〇年代レコードプレイヤー、電気蓄音機が一般に普及し始めた。その当時、EPレコード、ドーナッツ盤と呼ばれた45回転のレコードが、流行っていた。EPレコード一枚の値段は、

洋盤で三三〇円だった。一ドルが三六〇円の為替の時代です。月の小遣いが、一五〇円のころで、因みにLPレコードの洋盤は、一八〇〇円程したかと思う。

このEP、LPレコード以前は、SPレコードの全盛時代だが、SPレコードの時代は知らない。

一九二〇年、電気蓄音機が普及し始める。一九五〇年代に入るとステレオ機器が登場する。ステレオ機器の再生する音の時代へと変わり、レコードもダイレクト録音から電気録音、SPレコードからLPレコードへと移り、録音技術もオープンテープデッキ、カセットテープデッキ、ウォークマンなど、当時を思い出す音響機器、その名前に付着する社会の雰囲気、ニュアンスは、四畳半の貧乏くさいアパートには比べようのないハイカラな高級感を齎した。

一九九〇年に入るとデジタル化が進む。コンピュータによる音響機器の革命が起こる。音楽、映像のデジタル化は、便利さの追求の結果、今では映像、音楽、その莫大な情報量が、小さなスティックに内蔵され、人間の思考もその内蔵されたシステムと同じシステムを持って管理してゆかなければ、管理している間はいいが、いつしか情報に管理されている自己を見出すことになるだろう。コンピュータは、進化し続け、クラウドシステムに、記録を委ね、小さい末端機器、iPhoneがあれば、送金、電話、メイル、執筆、何でもこなすことが出来る。

最悪の事態は、人間の思考メカニズムがコンピューターと同化されないのか？　その思考には、丁か半、イエスかノウ、右か左、上か下、白か黒、金持ちか貧乏人、正か悪、そんな二者選択の単刀直入な、無味乾燥な世界が、待っているようで不安に思う。

SPレコード、特に歌手がマイクに向かい、直接ダイレクトカッティングされた、まだ電気録音がない時代の録音再生される声は、歌手の発声テクニックが、ハッキリと感じられる。目を閉ざすと、目の前で、あの Francesco Tamagno が歌う声を聞く事が出来るのです。タマーニョは、一音一音、はっきり発音し、言葉がはっきりと聴き取れます。ドラマティックテナーのハイCも息に乗った素晴らしい発声が、生の声で聞こえてきます。

SPレコードでも一九二〇年代の電気録音のレコードを聴くと、ダイカッティングによる録音と比べれば、音の質の差を感じます。発声のテクニックはハッキリと理解出来ます。胸声なのか、息が通っているのか、歌手が発声で使っている身体の器官と聴く側の身体の器官とは共鳴しあいます。これを私は、歌手とのコミュニケーションと呼んでいます。音楽は、耳や頭では聞きません。身体に響かせます。演奏家の使う身体、息、との共鳴、だから音楽は、身体で聴きます。しかしデジタル化された音楽が再生される音は、頭で聞いてしまいます。美しい！　感じがいい！　好きだ！　嫌いだ！　と頭で音楽を仕切ってゆくのです。

劇場で生な音楽を聴く機会を失うことは、感覚に訴えて、感じるという体感感覚が失われていきます。

音楽が時代の流れと共にその波長を合わせていくのであれば、一二〇年前の伝説的テナー、ソプラノの出るべき舞台はもう既に失われてしまったのでしょうか？

この音響機器の便利さへの追求は、単に質の低下、音楽で言えば、音楽の大衆化による商品経済価値としての音楽のファースト・ミュージック化にすぎません。ファースト・ファション、ファースト・フード、ファースト人生だけは拒否したいと考えます。生活は、日々これらの押し寄せる便利さとの戦場になっています。

ＳＰレコード盤のベークライト素材は重い。初期録音の一枚のＳＰレコードは四五〇グラムはあるだろうか？　電気録音のＳＰレコードになると一枚三〇〇グラムと少し軽くなってくるが、ＬＰレコードに比べると比較にはならない。ＬＰレコードは、一枚一五〇グラム程度である。ＳＰレコードの演奏時間は、三～四分、しかも初期のレコードは、片面だけの録音である。そのレコードは、より一層重い。録音するのが大変だったので、一面しか利用されなかったのか、後ほど両面利用を考えついたのか？　貴重な文化遺産でもある。一二〇年昔の歌手の声、発声が聞けるのだから、その音源は、貴重な宝である。古いレコードに録音された歌手の声とは、伝説となった歌手たちばかりである。そこには、歌手が存在した往年の劇場での聴集の雰囲気、社会の様子を伺い知ることが出来る。歌手を支える時代背景は、興味深い。

録音技師と歌手

録音技師のフレッド・ガイズバーグ Fred Gaisberg は、一九〇一年に渡欧してフョードル・シャリアピン、ロシアのオペラ歌手、バスの録音に成功する。SPレコードの発明は、家庭に劇場での音楽演奏の楽しみをもちこんだ。いってみれば、大衆に幅広く音楽を広めていったのである。この時点で、クラッシック音楽という。

ジャンルの大衆化が始まっていく。音楽の質は、大衆へのアピールという、別の動機を生み出していく。音楽への要求は、より大きい音、ドラマティックなスケールの大きさを願い、音楽ファンと市場経済の繋がりは、益々膨らんでいく。それでも劇場を賑わす音楽ファンは、音楽の魅力に魅かれてオペラ劇場に日々日参する。

フレッド・ガイズバーグの録音技術に対する可能性は、夢を通り過ぎ現実のビジネスとしての確信に代わっていく。一九〇二年に、ミラノで、エンリコ・カルーソー*のリゴレット、アイーダ、トスカ、を録音する。カルーソーの録音は、大成功を博し、当時の大テナー・フランチェスコ・タマーニョの興味を惹き、タマーニョは、ガイズバーグと契約する。タマーニョは印税取得者の第一号、レコード価格の一〇パーセントを要求した。フランチェスコ・タマーニョは、ドラマティックテナーの神話である。ヴェルディがオテッロ作曲

* Enrico Caruso(1873-1921)
「エンリーコ・カルーゾ」とも。

に取り掛かったとの情報を戯曲家のアリーゴ・ボイトからとりつけたフランチェスコ・タマーニョは、ヴェルディに一筆したためる。ヴェルディからの返信には自分は何も取り掛かってはいない、とつれない手紙の返信を受けとる。それでも、タマーニョは諦めず彼の純朴たる性格は、ヴェルディの頑な性格を溶かしてゆき、いつしかヴェルディは、オテッロの主演テナーとして、タマーニョとのコミュニケーションをとり始める。オテッロは、大成功をもたらした。

ここに主演テナー、フランチェスコ・タマーニョの一九〇五年録音のSPレコードがある。タマーニョは大スターとしての地位と名誉と金銭的成功を手にしたにも関わらず、旅は二等席、ホテルでは、自分の衣服下着は自分で洗っていたそうだ。タマーニョの声量は、スカラ座の天井を突き抜け、劇場前のスカラ座広場までとどいたそうだ。

天井から下げられた巨大なスカラ座のシャンデリアは、タマーニョの声の響きに共鳴したそうだ。そんな神話的なタマーニョの生に近い声が、ガイズバーグが、録音したSPレコードに残っている。深くて柔らかい息にのった声は、一瞬にしてその魅力に囚われ、目を閉じて聴くと、タマーニョが目の前で歌っているかのようだ。驚くことに、この声量にしてイタリア語の一言一言は、はっきりと正確に母音も子音も聞きとれる。発声は、聞く人の横隔膜に共鳴し、タマーニョの声の持つ魅力的な響きは、鳥肌を立たせる。その歌唱の奥には、作曲家ジュゼッペ・ヴェルディとのコミュニケーションによるヴェルディの細かい指示、ヴェルディの思いが隠されている。

産業革命が齎した大衆への音楽伝播の第二波は、音楽サービスとしてひろまってゆきます。第一波は、劇場の建設として、大衆へのオペラ観劇が広まって行く。エンリコ・カルーソーからはじまり、ＳＰレコードは全盛期を迎えます。

Adelina Patti（ソプラノ史上最高に稼いだと言われている）は、キャリアを終えたころ、一九〇五年、ロンドンの自宅に持ちこまれたビクターの録音機で、気の向いた時に歌い、その録音したビクター盤、パッティ・レコードがある。

SPレコードとの出会い！

ＳＰレコードは、Tito Schipa Jr との出会いがもたらしてくれた。

ジャコモ・ラウリ・ヴォルピ Giacomo Lauri Volpi の生まれた街、Lanuvio は、ローマから、一〇〇㎞南に下った人口一万四千人の地方都市だ。

若い声楽家のためのラウリ・ヴォルピ、コンクール優勝者の発表会が行われた。

主賓には、Tito Schipa Jr, Mirella Freni , Leo Nucci, Nicolai Ghiaurov と錚々たる歌手が、ラウリ・ヴォルピ・コンクールの主賓を務めた。声楽コンクールに、何度も通ったのは、若い歌手の声に、興味を持っていたからである。またコンクールの優勝者の中から、スカラ座や、ローマのオペ

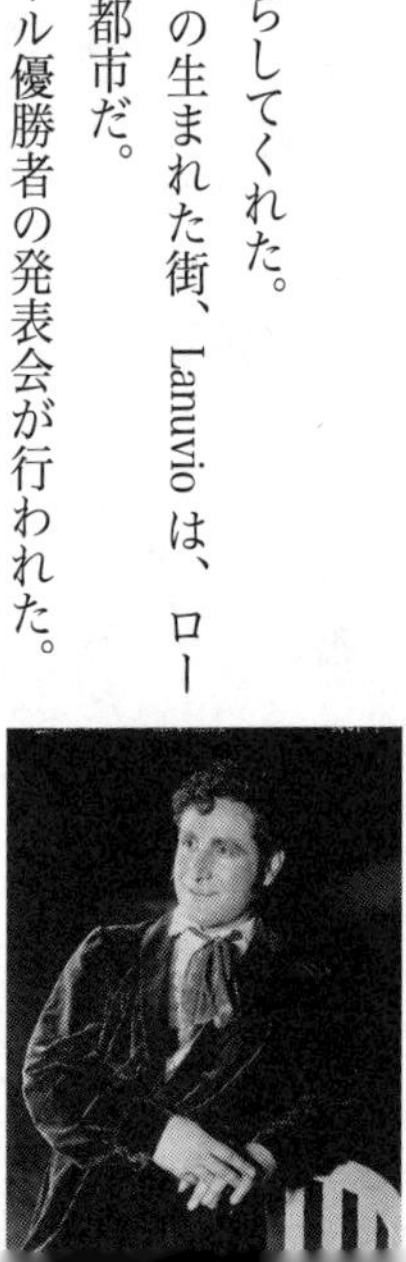

ラウリ・ヴォルピ
Giacomo Lauri Volpi
(1892-1979)

ラ座、ナポリのサンカルロ劇場の演目に名前が出るのを見いだす事は、すこぶる快感でもあった。

Giacomo Lauri Volpiは、Giacomo Pucciniがその歌唱を愛したと言われているテナーだ。オペラ、「トゥーランドット」の中で歌われるアリア、「Nessun Dorma」は、Lauri Volpiのために書かれたと言われている。もともと、弁護士を目指していたLauri Volpiは、Enrico Carusoのドラマティック・テナーの声の魅力に惹かれテナー歌手の道を歩む。太い声で、カルーソーの様に歌っていた。しかしインテリジェンス溢れる教養と知性とで、ベルカント唱法のテクニックの習得に、努力を費やし、見事なベルカント唱法による、ドラマティックな表現の確立に成功したテナーである。歌手に必要な音楽的要素の一つに、インテリジェンスが要される、そのモデルと言えるテナーだ。声は、息に乗って、横隔膜の支えはメロディーを甘く優しく、またときには鋭く、強くボリューム感を押し出してくる。声のポジションがブレることが無い。そうした歌唱法は聴く側に、安定感を与え、表現とのコミュニケーションを醸し出すことが出来る。

ジャコモ・ラウリ・ヴォルピは、音楽、声楽への執筆を多く残している。その中に、「声の比較」がある。歴代の有名歌手の比較である。一八五〇年から一九七〇年までの、テナー、バリトン、バス、ソプラノ、メッゾソプラノ、コントロアルテ、の声について考察し、記述している。発声のメカニズム、歌手の声が表現する性格、歌、オペラ芸術の視点を知る上で、役に立つ歌手への論考である。ヴォルピのこの『声の比較』を読むと、音楽との接し方、音楽の意味について考察させられる。その中に『歌唱のための呼吸法とヨガ』という章がある。ヨガの呼吸法をとり入れるという事が、勧められている。

ミラノから、イタリアを縦断する高速道路、A1を南下して、六五〇㎞運転し、疲れ果てていた。野外コンサートの即席舞台でのコンサートは、すでに始まっていた。デビュー間近な若い歌手たちがピアノ伴奏に合わせてオペラアリアを披露している。前方の席にも関わらず、私は運転の疲れとコンサートでの心地よい眠りに誘われて、おそらくは首を垂れていた。その浅い眠りの淵に、甘いメロディが囁き始め、呼び覚ましてくれた。Francesco Cilea作曲、『フェデリコの嘆き』だった。テナーは、Tito Schipa、その甘い声質、息に乗った声量は、会場すみずみまで響き渡り聴衆を惹きつけて、離さない、感動の起伏へと巻きこんでいる。

Lamento di Federicoが鳴り終わると、すっかり眠りから覚めた私は、一人の若者が舞台に上がるのを見ていた。Tito Schipa Jr*と紹介された。

ミレッラ・フレーニ、ニコライ・ギャウロフ、レオ・ヌッチ、有名オペラ歌手たちが登場していたが、有りし日のこのコンサートの主催たるラウリ・ヴォルピも、ティート・スキーパTito Schipaも、どんなオペラ歌手なのか、その時点では未だ知らなかった。この二人のテナーを知るきっかけとなるのが、ティート・スキーパ・Jrである。コンサート終了後、軽い立食パーティーが、始まっていた。ティート・スキーパ・ジュニアが話かけてきた。

* 1946年ポルトガル、リスボンに生れる。イタリア人作曲家、シンガーソングライター、プロデューサー、作家、俳優。父親は世紀の大テナー、Tito Schipa。ティートは、1966年、リナ・ウェルトミューラーの助監督として働き、リタ・パヴォーネ、ージャンカルロ・ジャンニーニ等と共演した。23歳の時、オペラロック、「オルフェオ9」の製作、監督、主役を演じ、イタリアに革新を齎す。ボブ・ディラン、ジム・モリソン、の伝記を執筆、イタリアの若者に、強い影響を与えている。現在、オペラ芸術監督、音楽評論、文学と、幅広い活動に携わっている。

ティート・スキーパ
Tito Schipa (1889-1965)

「貴方は、日本人ですか？」

「はい、日本人です。あなたのおじいさんは素晴らしい歌手だったんですね、」と彼に言った。

「いや、私の父です。父が五〇歳の時の子供なんだ。父のファンは日本には沢山います。もし、ローマに来ることがあったら、電話を下さい。又会いましょう」とティートは、自宅の電話番号を手渡してくれた。

ティートは、コンサートの間中、私の一部始終を見ていたそうだ。居眠りしてる目の前の日本人は、Tito Schipa のレコードが、鳴り始めると、頭をもたげ、そして背筋を伸ばして聴いていた。ティート・スキーパの声に耳を傾けている様子を、おもしろげに観ていたそうだ。ティートは私の真後ろの席に座っていた。私はというと、ティート・スキーパもラウリ・ヴォルピもその存在さえも知らなかった。エンリコ・カルーソー以後、イタリアは、五人のテナーを輩出する。

Giovanni Martinelli ジョヴァンニ・マルティネッリ、
Beniamino Gigli ベニャミーノ・ジーリ、
Aureliano Pertile アウレリアーノ・ペルティーレ、
Giacomo Lauri Volpi ラウリ・ヴォルピ、
Tito Schipa ティート・スキーパ、である。

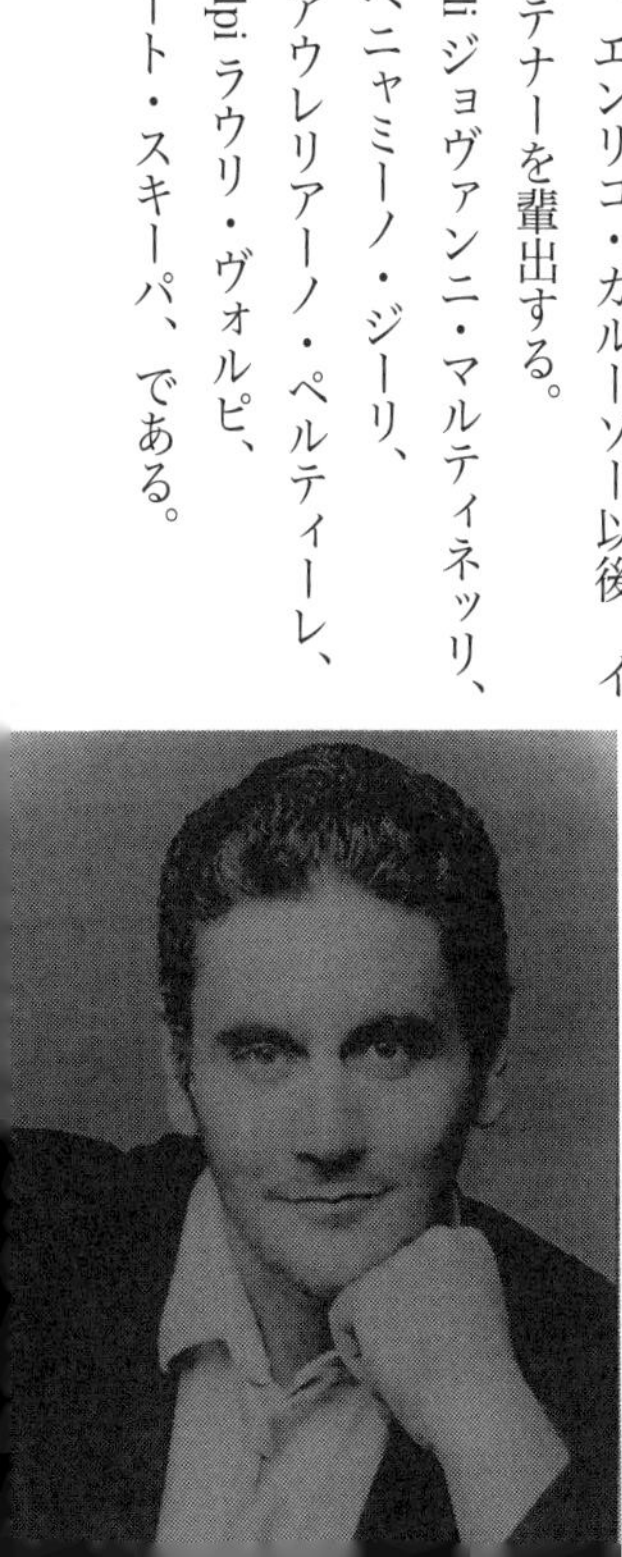

ティート・スキーパ・ジュニア
Tito Schipa Jr

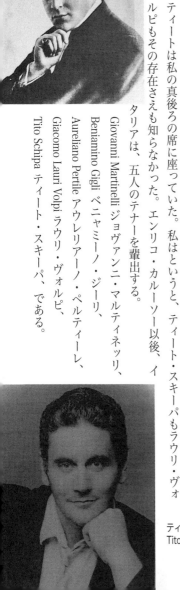

偶然にも、この会場でティート・スキーパ・Jrと知り合う。オペラ街道を突き進むこれからのイタリア生活には、強力な助っ人となって、いろんなアドヴァイスを受けることになった。

ティート・スキーパは一九一〇年代、十年間アメリカを席巻したテノール歌手であり、当時、ワンステージ二万ドルを稼いだ、大スターだった。

ティートから送られてきたＣＤを聞く。

録音が、気に入らなかった。理由は判然としなかったが、「ティート、ＣＤの音あまり良くないな！」と電話で伝えると、「そうか、Yoshi! それなら78回転、ＳＰレコードで聴くことを薦めるよ。」

蓄音機、グラモフォン、のことである。電話の向こうから何気なく、ティートは言った。

我楽多市で

それからというもの、ミラノの土曜日の朝市、朝の七時には、ミラノの運河の始点、ダルセナの広場に立ち並ぶ骨董市通いが始まった。

ガラクタ市での、蓄音機探しが始まる。持ち運び可能な鞄の形の蓄音器を手に入れた。ビクター製のバリジェッタ蓄音機である。蓄音機探しの間には、いろんな古い道具が所狭しと

手巻き蓄音機、コロンビア製

並べられている。

メガネ、万年筆、SPレコード、レコード・カタログ本、オペラ作曲家の古書、絵画、いまだに愛用している眼鏡、万年筆は、このガラクタ市で手に入れたものばかりだ。

朝の我楽多市は、一八〇店舗が、車の後ろ座席を潰して、入るだけ荷物を詰めこんで、路上に品物を並べる。骨董市を営んでる店主は、台を置き、その上に品物を並べる。値段はついていないのが殆どだ。だからこの市場では、売る人と買う人の思いは反比例する。

シャンソン、ジャズ、ナポリ民謡、オペラ、バイオリン、ピアノ、カンツォオーネ、交響曲、様々なジャンルのレコードがある。SPレコードならなんでもいいわけではない。SPレコード探しの当初、出会ったSPレコードの歌手が誰だか分からない。当時のレコード・カタログ本を見て、片っ端から買い求め、その歌手を調べ、レコードを鳴らす。古いレコードは、大体外れる事はない。また、目安には、テナーの曲を集めていたので、Tito Schipa, Lauri Volpi, Beniamino Gigli, Enrico Caruso, Francesco Tamagno, Martinelli, Pertile、と重いレコードで手が千切れるほど買いまくった。

SPレコードを見つけると、「これいくら?」と聞く。最初は、テナーのレコードばかりを探した。オペラの歌曲にまとは絞った。当時は、コロンビア、ビクター、オデオン、グラモフォン、フォノティピア、などのレーベルがあった。またややこしい事に、SPレコードには二つの

ベニャミーノ・ジーリ
Beniamino Gigli
(1890-1957)

ジョヴァンニ・マルティネッリ
GiovanniMartinelli
(1885-1965)

方式がある。フランスで開発された縦振動のパテ版とビクター製の横振動のレコード、間違ってパテ版を買うと蓄音機も、パテ用の蓄音器が必要になる。SPレコードの価値を知ってる店では、「一枚一万リラ（五ユーロ）」、店によっては、ゴミ扱いする。SPレコードの価値「一枚二千リラ（一ユーロ）」、「一枚二〇ユーロ、三〇ユーロ」、さらにレコードの価値が高い一九〇二年録音のころのレコードは「一枚五〇ユーロ、一〇〇ユーロ」と、希少価値レコードは垂涎の的であった。

SPレコード収集にあたっては、いくつかの動機があった。

一〇〇年前の声、歌唱テクニックを知る。

再生音が生の声に近い。

(1) Tito Schipa のSPレコードはほぼ、集めた。一〇〇枚は越すであろう。

(2) Giacomo Lauri Volpi のレコードは戦後直ぐには、日本に入ってきていない。当然のことながら Lauri Volpi の歌唱技術のことは、今でこそ知られているが、一部の人しか知らされてはいない。明治以降、日本の音楽教育は、西洋音楽を取り入れてゆく。日本文化の伝統とその中で育まれた感覚、意識、生活慣習を基礎に、西洋音楽を学んでゆく。

その全てを我々が学ぶことなど出来はしない。そしてそれら全てを日本に伝えて紹介して、ゆくなど、できる道理はない。

蓄音機との出会いから、派生して行く知的欲求の広がりは、過去の歌手たちとのコミュニケーションへと繋がってゆく。一方でますます、スカラ座通いには拍車がかかり、切符無しでも、スカラ座のマスケラは、立ち見席には、眼を瞑っていれてくれた。オペラの何が私をこれほど惹きつけるのか、考えた事がある。

オペラに惹かれ

スタンダールの『赤と黒』に、スタンダールのスカラ座通いが描かれてある。一八〇二年、ナポレオン軍の将校として、彼はミラノに入城した。オペラブッファに惹かれ、スカラ座通いの常連になったスタンダールを魅惑したのは、社交界としての、貴族社会、とりわけ、有閑マダムへの御執心も、あながち的外れとは言え無いだろう。

今から四十年前のミラノは、未だ東洋人の姿は珍しかった。東洋人を見ると、チーナ、チーナ（中国人）と子供たちが囃し立てたころだ。一人暮らしの日本人にとって、偶然知り合う同胞との出会いは、うれしくもあった。同じオペラを何度も何度も通ったのは、単なる音楽コンプレックスのなせる仕業だったが、スカラ座の天井桟敷は、同胞と出会えるサロンだったかも知れない。いまでは書斎の蔵書には、読み切れないプッチーニ、ヴェルディ、ドニゼッティ、ロッシーニ、ベッリーニ、ジョルダーノ、モーツァルト、マスカーニ、アルファーノの本が山と積んである。全ては、ＳＰレコード探しでの副産物である。いつしか我が家は、オペラのレコード、スカラ座のパンフレット、音楽本、美術書の蔵書に埋まる羽目になっている。

スカラ座は、音楽的素養のない身には、視覚的観点からのアプローチとあらすじ程度の知識とで、天井桟敷に通った。唯一の支えは、テナーの声とのコミュニケーションのみだった。この時期、スカラ座は、ドミンゴ、カレーラスのダブルキャストの豪華なキャスティングだった。他に私を魅了したテナーにルチアーノ・パヴァロッティ、ニコラ・マルテヌッチ、ジュゼッペ・ジャコミーニ、アルフレード・クラウス・・・・懐かしく彼らの舞台、声量を思い出す。

舞台美術、衣装は一際際立つレベルの高さだった。三時間の上演に、一体何人の人たちが携っているのだろうか？　大道具、小道具、衣装、照明、合唱、オーケストラ、ソリスト・・・・マエストロ・ガヴァッツェーニの質問。日本人は、何故西洋の音楽に、興味を持つのか？実に単純な問題提起だった。それは歴史が作り上げた欧化主義政策の結果だと応えた。明治維新から、西洋に倣えと走り続け、西洋と東洋に架かる文化の交流で今に至った日本には、おおくの歪みが社会の断片に、欠陥として吹き出し始めている。時代の変遷とともに、日本文化と西洋文化の根本的波長の差異は、時間の経過と共に社会全体が歪んで来ている。
日本人の感覚で演奏されるクラッシック音楽は、器楽、室内楽、交響楽、オペラと大流行である。
日本人指揮者の作り上げる音楽と西洋人指揮者の作り上げる音楽の差異は、計り知れない。

私のオペラ通いは、音楽を通しての真実の追求であった。何が真実なのか、解らなさから、スカラ座通いを続けた。

パヴァロッティの何処まで蒼く澄み切った空に吸いこまれる声、その開放感溢れる響は、知的な欲求をみたしてくれる。

カレーラスの情熱とコミュニケートした。

マエストロ・ガヴァッツェーニと知遇を得た。

マエストロ・ホロヴィッツとコミュニケートした。

マエストロ・ムーティとコミュニケートした。

ソプラノ・ルチアーナ・セッラ Luciana Serra とコミュニケートした。

多くの音楽家とコミュニケーションを持った。

それは多くの音楽家たちが演奏する音楽をとおして、真実とのコミュニケーションを図る行為であった。今ＳＰレコードのような、アナログな音響機器で聴く声楽曲、スカラ座まで出かけてゆくオペラ観賞。

時間をかけ、生の音楽と接する行動には、人生の意味、真実を求める意思の表象行為でもある。総合芸術たるオペラに携わる人、舞台でソリストとして演じる歌手たち、その歌唱芸術の真実と深く関わって行く聴衆たちもまた、オペラを通して、真実、真理を追求しているのである。

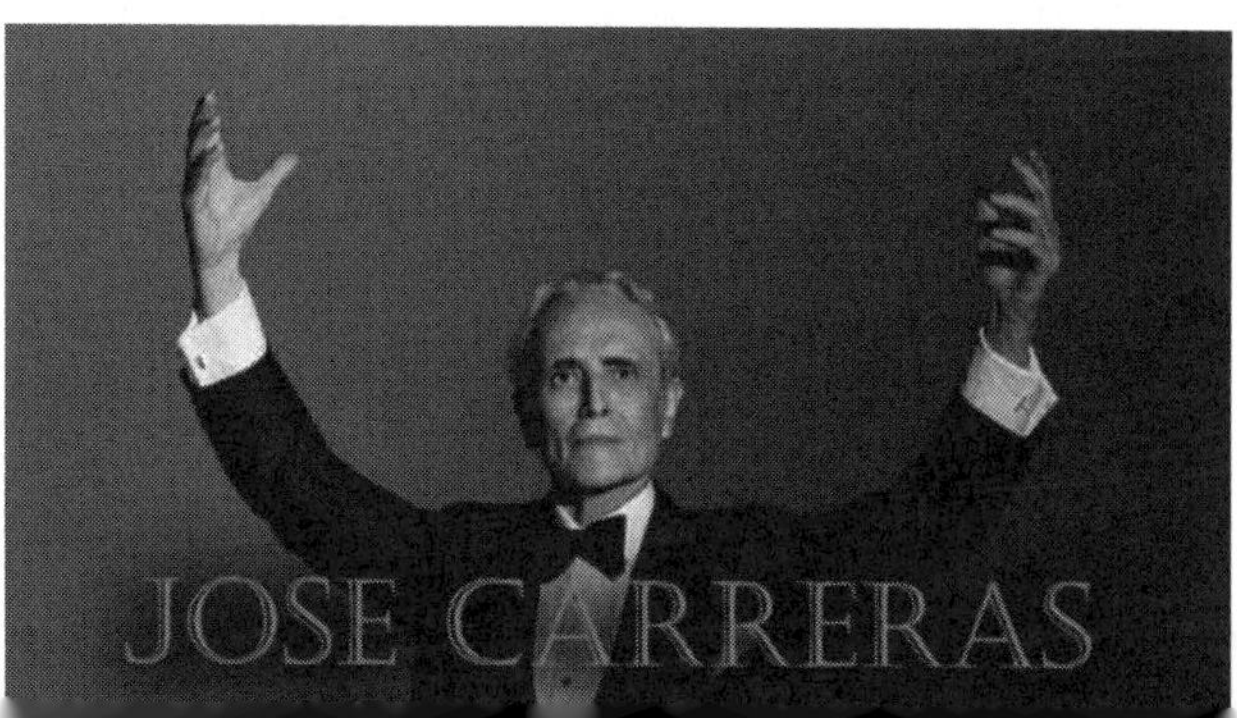

6　述語制言語と音楽

主語制言語の国イタリア生活の中で

今、頭の中を駆け巡っている。日本語は述語制言語であって、主語制言語ではない。

パリの友人、日本語教授だった浅利誠から、山本哲士が論じる述語制言語の話を聞かされたとき、何かピンと感じるものがはじけた。

日本語を使う時に人称代名詞に当たる私とか貴方とか彼とか、使うのだが、それは必要としない。日本語は、主語を必要としない。日本語は人称代名詞を使わないで会話が成り立つ。日本人同士には、通じ合える。ところがイタリア人との会話では、上手く行かない事が多い。イタリアに行った当初、良く言われた事に、何が言いたいの？　私がなのか、貴方がなのか、言ってる事が、分からない、とイタリア人の友人に言われた事を思い出す。日本語が、主語制言語であるならば、文法が同じであるので、文章を作る構文、考え方は同じであるはずだ。ところが、日本語とイタリア語は、文法が違う。言葉の違いは、語彙の違いだけにかぎらず、考え方、習慣、思想にまで、その差異を広げて行く。イタリア人の発想、思考、習慣を身に付け、主語制言語思考に邁進するしかない。

Google翻訳を使って、日本語をイタリア語に翻訳変換させると一目瞭然である。日本語は主語をはっきりと記述しないために、「私が彼に要求した」と、翻訳機に依頼すると、翻訳では「彼が私に要求する」となっていたりする。Google翻訳での日本語の記述には必ず、人称代名詞を明確に記述する必要がある。イタリア人との会話に於いても、誰がどうしたいのか、混乱が生じる事がよく起こった。これを回避させるためには、思考そのものを、主語制言語に切り替えて、イタリア人に対処しなければならない。加えて、良く理解出来て無い事に、曖昧に、はい！　と返事をしたりして、相手を憤慨させたことも多々あった。曖昧さは、微塵も無い詰めの論理性を構築しなければならない。

日本語は、曖昧模糊としたなかに、共通感覚としてのコンセンサスを、共有している。それが経済至上主義と、便利さの追求の結果、日本人に過去存在した倫理感、或る種の、踏み越えることのない、結界が、いつしか希薄な頼りない物として浮遊している。述語制的生活様式は、徐々に社会の片隅へと追いやられている。過去、歴史に名を残した偉人、天才、異才といわれ、尊敬された芸術家の活動、思考、行為には、述語制的思考行動たる社会的要素が、自然の山川、里山の在りし日の日本の風景のなかに、必要としたのであろう。述語制言語が醸し出す思考形態は、質の向上にあり、その動機は日夜努力を自発的に、ある種のたのしみとするからであり、その追求には、個人差はあれ限界が無く、その個々が、単位となって小さな社会を構築してゆく。一方で、主語制言語の思考では、限界を設けあらゆる理由付けが用意され、それは許容されてゆく。全体的目的が設定日本語の文法が主語制ではないから、グーグル先生が混乱して主語制言語様式に則り、勝手に人称代名詞を付け足してくれる。

また、何世紀にわたって主語制言語社会を構築してきている西洋社会では、主語制言語の下、社会の法律、慣習、人々の感情、情緒、その全てが準備されている。一方で日本では、主語の無い日本語に、主語を無理矢理付けて、社会様式に、見えない個人レベルでの、情緒、感情、感覚に、言語の差異による混乱を生み出し、その影響は、思考する際の選択順位に及び、その影響は、犯罪にまで及び、理解不可能な事件が、ニュースをにぎわしている。

音楽は、述語制言語表現様式の中に、含まれていると考える。

音楽は言語形態を持つが、具体的会話ではない。音楽の共時的コミュニケーションは、一方通行的ではありながら持つ事はできる。その対象は、作曲家であり、その作品であり演奏家であり、指揮者であり、演奏される音楽である。音楽はどの部分に快感としての感動を齎すのだろうか？

ある時は、好意を持つ演奏家の演奏会、好きな作曲家の作品、知らない曲目、過去の時代の作品、現代音楽、日常生活空間には無い音の競演が劇場に溢れる。

劇場に行く動機は、まさに、非日常空間の音との出会いを求め、出かけて行く。が、頭の中は、日常生活空間を占める要素が、詰まりに詰まっている。その感覚は、一度得た快感的体験のリピートを無自覚の内に求める。この感覚は、レストランでのメニューの選び方と似た感覚がある。食べたことのあるメニューの中から、選ぼうとする保守的感覚は、常に、闘争の対象相手である。

新しい経験との出会いこそが、音楽的経験の蓄積と出合いでの感動に繋がる。この出会いでの感動は、すぐに霧の如く霧散し、感動したという記憶だけが残る。リピートを求めようとしても、同じ感覚での感動というものは、二度とは出会えない。が、一流と言われる演奏家、コックの出す料理、音楽は、常に感動を共にする。彼らの表現行為の中には、リピートする発想が、ないからである。

演奏家は、対象とする音楽の解釈に基づいて作曲家の楽譜に忠実に演奏する。聴衆は演奏されて流れてくる音楽に対して、集中してその音楽に身をまかす。演奏家は、演奏に全身全霊を傾け、沸き上がる感情の起伏とテクニックによって演奏する。この演奏家と聴衆の対局する立場の、精神的緊張感が、劇場空間を神聖な空間として、音楽は時間芸術、消えてゆく掴みところのない時間の共有感覚として捉えられていく。

演奏家の演奏の意思の伝達は、演奏しているその時の一瞬であり、音楽となって流れ出した演奏された音楽は、その瞬間から、聴く側に受け渡され、音楽はオブラートに包まれた聴衆の感情の起伏となって、聴衆がそれぞれの世界に集中し音楽とのコミュニケーション、音楽家の演奏に、体の中にある弦と共鳴しそれを愉しむ。

その音楽に対する知識は聴衆のレベルにはそれぞれの差がある。作曲家の作曲した時代、作曲家の音楽に対する個人的データ、また、作曲家の環境、演奏される音楽との出会い回数など、その情報は、幾万の襞状態になって、時相、空間、感覚との微妙な違いを生み出し、音楽は、時間芸術として、感覚の中で、眼にする事が出来ない、まるで煙が大気に吸いこまれるが如く、消えてしまいます。

感覚で捉えられた音楽を、言葉に置き換えて眼に見えるものとして、表現してみようとすると評論的文体となって音楽と接する手助け、杖が生まれてくる。

一方、ある音楽家が、表現したい音楽を文章で表現する時、その文章には、時間の経過も場所の設定も、感覚が感じるままに、飛翔し、まるで光が一瞬放たれたインパクトのみを残し、漠然とした感知のみが、感覚を刺激する。

日本人の思考でイタリア人との会話は、ギクシャクしてしまうのは、言語体系が異なるからだが、我々日本人は、対外国人に対してその違いにはっきりとした理論を持っていない。

相手の身になって考えるという習性は、会話の成立に障害は齎すが、何ら役には立たない。故に好き嫌いがはっきりしない、自分の意見を持たない、イエスと言ったのに、サインをしない嘘つきだ、云々、云々。

日本人の「はい」はYESではない。「はい、私は理解はしています。貴方の仰っている事は、しかし・・・」と言う伏線の付いた言い回しなのである。

それを日本人は、YESと言ってしまう。NOと言う習慣が無い為であろうか?

スカラ座の定席

マエストロ・ジャナンドレア・ガヴァッツェーニは、イタリア第二次オペラ黄金時代に、活躍したスカラ座の大指揮者です。音楽のみならず、その知性は、多くの本を執筆している*。数少ない指揮者とのコミュニケーションの中で、マエストロ・ガヴァッツェーニとの音楽、オペラ鑑賞ほど心躍る体験は無かった。

私のスカラ座の定位置は、プリマガレリア、もしくは、セコンドガレリアの、70番席から78番席、その席からは、真っ正面に、指揮者の背を望み、その奥に競り上がって行く舞台、オーケストラ、合唱、ソリストの声、演奏が、この天井桟敷に向かって、押し寄せて来る。オペラに関して言えば、切符は向こうからやって来る。観たいと望めば、切符はなんとでもなった。

ガバッツェーニ執筆の、『折れた指揮棒』

* 音楽学者、また、音楽評論家でもあった。出版された本は、30冊に及ぶ。

想いは、全ての障壁を取り壊し、目の前の掌に、湧いて来る。スカラ座の切符売り場のボス、エリオから売り場の人間、顔見知りで、謂わば向こうが切符売りならこちらは買う方と、仕事仲間の関係を構築していた。インターネットで切符を買う以前の、昔の話である。

大富豪のスカラ座一日買収。アメリカ人の大金持ちが、スカラ座とスカラ座のオーケストラを一日買いきった。彼の名前は、カプラン、薬剤会社のオーナーだそうだ。

マーラーの交響曲七番を世界中の劇場で指揮する、音楽マニアの遊びであった。そのマーラの七番に、ソプラノの日本人が出演。ヴェネツィアの大富豪御夫人と、スカラ座のパルコ席をキープした。その日、少し気負ってタキシードに蝶ネクタイと、オペラシーズン・オープニングの出立ちであった。スカラ座前で御夫人をエスコートして、スカラ座入場する筈が、切符が無い。家の机の上に、無意味に佇んでいるに違いない。

「あっ、切符、家に忘れました。」烈火の如く、私の間抜けさを罵倒し始めた御夫人を無視し、何が出来るか、スカラ座の混雑した入り口ホール、ホワイエを俯瞰した。ピンクホワイトの袖なしロングドレスのとびっきり美しいレディが、眼に飛びこんで来た。

彼女に焦点を当てた。近づいて、「ボナセーラ、問題が起こりました。切符を家に忘れました。あなたは、私に何か出来ませんか?」その女性は、「わかりました。切符を用意します。」直ぐに別の人に、指図して平土間のど真ん中の席の切符を渡してくれた。ヴェネツィアの御夫人は呆れた顔して、「今回は上手くいったけど」と不安で気分を害した事はおさまってはいない。ホットしたのは私の方で、あまりにも首尾良くいったのでカプラン指揮のマーラー七番も、友人のソプラノも、良い子守唄になってしまった。それにしても、あのレディーは、誰だったのか、一目で関係者だと私には分かったが。たまたま、私は、黒のスモーキング、ま、その礼服が功を奏したのかもしれない。

●ルチアーノ・パヴァロッティ

一九八〇年代は、三日と明けずスカラ座へ通った。オペラに無知なので、同じオペラを最低三回、四回は聴いた。スカラ座で仮面舞踏会が公演された。このときはルチアーノ・パヴァロッティがタイトルロールを歌うというので切符は完売していた。それで、どうしても切符を一枚手に入れたかったのでいつものように切符売り場のボスに頼みこんで一枚手に入れた。そこで、偶然日本の知人と出会った。彼はわざわざ日本からミラノに観光に来ていて、今日の仮面舞踏会を見に来たのである。切符が手に入らないという。「判った一枚切符があるから、君これを使いなさいと」、ザッパ氏から購入した切符を、彼にプレゼントした。「君のは?」「なんとかするさ!」、と私。

さあ、どうしようかと、スカラ座の入り口で手を組んで考えた。片っ端から、スカラ座の観客に当たるしかない。よしと決めてとり掛かった。「シニョーレ、すみませんが、切符余分に持ってませんか?」「えっ! ああ、一枚余っている。どうぞ!」「本当ですか、ありがとうございます。いくらお渡しすれば?」「いらないよ、余った切符だから」そう言ってグレーのスーツを着た紳士はスカラ座へ入場して行った。狐につつまれた。いくらなんでも、こんなことがと、慌ててスカラ座へと、一階土間席の中段、真ん中の席だった。当然、切符をプレゼントしてくれた紳士は私の隣の席だった。彼は切符の説明をしてくれた。音楽評論家の彼は、スカラ座の切符が二枚送られてきて、友人が今日キャンセルしたとのことだった。つまり彼も招待券だったのでお金入りませんという事だった。

●ホセ・カレーラス

ホセ・カレーラス*がタイトルロールを歌えば、それを追っかけた。パリアッチ、愛の妙薬、ロベルト・デヴリュー、ドン・カルロ、カルメン、西部の娘、トスカ、フェードラ、アンドレア・シェニエ、アイーダ、トゥーランドット、椿姫、リゴレット、ラ・ボエーム、セビリアの理髪師、ノルマ、夢遊病の女、ランメルモールのルチア、ナブッコ、エルナーニ、マクベス、ルイザ・ミラー、イル・トロヴァトーレ、仮面舞踏会、運命の力、オテロ、カバレリア・ルスティカーナ、アドリアーナ・ルクヴルール。

* 1946年スペイン　バルセロナ生れのテナー。抒情的な表現に優れた歌唱力をもち、独特のスペイン的発声は、日本の頭に響かせる民謡にも似た響きも持つ。日本人にこよなく愛されるテナーである。ヴェルディ、プッチーニ、ジョルダーノ、幅広いレパートリーで、オペラ歌手として、世界中の劇場で活躍した。

ホセ・カレーラスが好きな理由をある日発見した。ミラノの北、エルバにある友人宅のオーディオルームに、素晴らしい音響装置が置いてあった。古いレコードを見ていたら、レオナルド・バーンスタイン指揮、ウエスト・サイド・ストーリーのレコード、中学生のころ聞いていた同じレコードを見つけた。そこで気づいたのがトニーを歌っていたのが、ホセ・カレーラスだった。マリアはキリテ・カナワだった。カレーラスの声は、中学生のころから好きで聞いていた声だったのだ。五十年の時間と場所を隔て出会ったホセ・カレーラス、現時点に於いては、場所と時間とマテリアルとが錯綜して、新たな感覚に感動が生まれてきます。

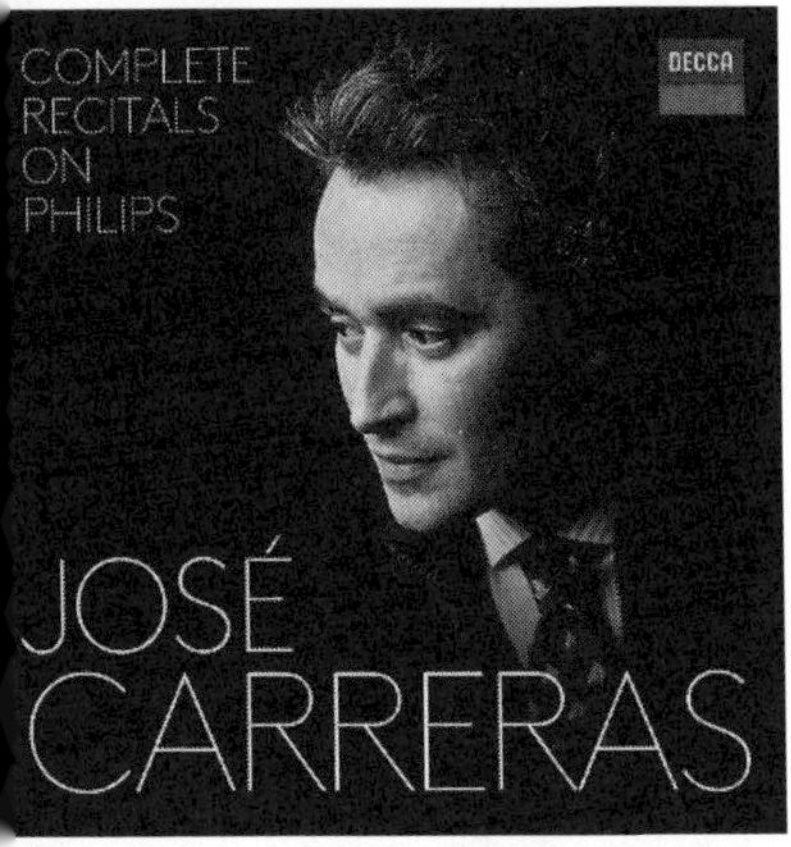

ホセ・カレーラスと林康子さん

ホセ・カレーラスとキリテ・カナワ

7 運慶とミケランジェロ

イタリア語生活の中での述語制とわが仕事

述語制言語ってなんのことだろうか。気になって以来、ずっと考えている。調べてみると主語と述語は、対になっていると説明している。

文法上、主語の表すものの動作・作用・性質などを述べた語とある。

述語とは、伝統文法では、ある節の要素のうち、主語でない部分のこと。主語以外の名詞句は述語に含まれる。現代言語学では、節の中心となる動詞とそれを修飾する部分のこと。名詞句は述語に含まれない。述語が一つである文のことを単文といい、述語が二つ以上存在する文を複文または重文という。

文章は、

作用、何が、どうなる。

薬が効く。

動作　何が、なんだ。

　彼が笑う。

性質　何が、どんなだ。

　海が青い。

状態　何が、なんだ。

　彼女は学生だ。

などを表現する。

主客分離、主客非分離って何の事だろうか？

ここイタリアに四十年住んでいながら、イタリア生活の中で感じる個人主義には、何年経っても馴染めない。日本人の普通感覚のなかに、相手の身になって考えるという習慣が、イタリア生活で障害になることがある。日本の中であれば通用するが、此処イタリアでは、誰も相手の身になって考え、行動する人は皆無だ。しかし、親切な人は沢山いる。困ってる人、社会的に救済を必要としているには、個人レベルで、親切な行為に出会い、驚き感動させられる。流石は、キリスト教、クリスチャンの国イタリアです。日本人の親切心と比較すると違いが見えてくる。キリスト教の教えによる宗教心は、強固な意志を個人にもたらしている。一方日本人の親切心は、宗教心からではなく状況を思い測る判断から、生まれ行動にうつる。両者の親切な行動をする人の、動機の違いは、主語制言語と述語制言語の言語背景にある様に考える。各言語制下に、生活する人々にとっては、何が違ってくるのだろか？　言語がもたらす考え方、思考形態、感情表現、感覚、そこから形作られる思想、文化、伝統、そして国家それらは両者の間に違いを生み出し、その違いが、この世界の歴史に興味深い対象として存在を協調しあっている。

西洋と東洋、イタリアと日本では、お店の店員のサービス、お客への応対には、違いがある。日本ではお客様は、神様だというほどに丁寧に対応しています。そこから、派生した、クライアント・ハラスメントなる言葉が生まれている。今では、ハラスメント・オンパレードの国、日本である。ここイタリアでは、物を売る側が、買う側よりも立場は上になります。その論理は、欲しい人に売ってあげるという立場をとります。

実際に、ビジネス上での、生地の買い付けで、痛い目にあった経験があります。カシミアの生地をビエラの生地メーカーにオーダーしました。量産五〇着分、一〇〇メーターを、五月中旬納期の契約で発注した。量産製品の出荷は七月三一日、銀行間取引のLC決済期日までには、製品を仕上げ出荷しなければなりません。生地屋から納期を伸ばしてほしいと連絡が入りました。生地の入荷が遅れると生産がずれこみ、最終製品出荷が間に合いません。生地屋の担当に強い抗議を伝えたところ、それでは生地のオーダーをキャンセルをしてくれと、伝えられました。生地が手に入らなかったらどうしようもありません。泣く泣く、生地屋の要求を呑みました。このやりとりの後、生地屋とのトラブルは、絶対に持たない、やらなくなりました。生産する者が、一番強い事を知りました。

生地屋とのやりとりで、チグハグな意見は、例えば、頑張ってやってください。一日でも早く納品してください。ところが、生地屋は、六月一五日までは生地は納品出来ない、とはっきりと期限を出してくる。私は、それでは、生産時間が無くなるから、もう少し早く納品してくれ！　と依頼する。生地屋は納期までには出来ないから、キャンセルしてくれと言う。生地がないと洋服は作れない。納期遅れでも、生地が必要だから、一ヶ月の納期遅れを承諾した。

主語制言語では、主語が何をどうするかが重要であり、述語制言語では、述部の表現が、重要で、主語、人称は、必要としていない。

主語制言語と述語制言語とは、どこがどう違うのであろうか？

述語制言語である日本語は、限界という認識、意識はありません。触れえない或る種の結界という霞のようなぼんやりとした、感覚でしか捉えられない踏み入れられない領域としての結界。それは具体的にある空間を指してとか、またこれがというものとしてではなく、ボーッと存在する。何かに触れると意識の奥に、ボンヤリと不安、不確実性な予感に似た境界のない結界を感じたり、脚を踏み入れてはならないという暗示にも似た、自己を踏みとどませる自動制御としての気分が発生します。そしてその気分が、行動しないことを選択します。時には、その結界を霧散させる出来事が発生すると別のエネルギーへと変換され、その出来事が社会性を帯びると社会変革への動機ともなります。それが個人レベルでの事件であれば、個人変革への影響力となります。それは、日常の生活空間にも多々見受けられます。職業選択に関しても、簡単な識別では、男性女性の違いによっても、存在します。特に、モノ作りの職人の世界には歴然とした職域が存在するし、職業、道具に関しても男性女性の領域は、伝統的職種には、はっきりと残されています。このはっきりとした、決まりが無いにも関わらず使い分けられている日常生活は、男性言葉、女性言葉と言葉の使い方などにもその差異が存在します。

どんな重大なことでも、述語制言語の日本語では、具体的な決定を下すことはなく、大きな雲の流れのように、流れていくのです。

過去の日本の芸術作品と対峙し、此れが人間の手によって作られたものとは、信じがたい衝撃を、幾度も覚えました。いつの間にか、主語制言語のカラクリ、主語制言語システムの罠に落ち入り自分に限界を作って、架空の時間に縛られて、今日一日一日を生きながらえることに費やしていたように、思います。

述語制言語としての日本語という考え方に出会えたとき、服を作る根本的な考えに、想いを寄せ、気がつきました。ファッション産業界のスケジュールに乗せられて、ファッション・フェアーへ向けて、生地のサンプルを買い、デザイン画を描き、型紙を起こして、サンプルを作り、コレクションを制作し、ファッション・フェアーで、代理人、バイヤーたちに披露し、オーダーを受け、オーダー分の生産にとり掛かり、半年後に納品する。その一方で、次の秋冬コレクションの企画に突入する。この果てしも無く繰り返す作業的コレクション販売システムに、述語制言語の論理を覆い被せて考えてみた。

知覚、感覚とコミュニケーションをとって、自分の領域の中にある広がった可能性、表現に力を注ぐ。大きな組織の用意したファッション・スケジュールからの脱却、我が道を行くことにした。我が道を行くことにした私には物、服を作るノウハウ、技術がある。資金はないが、この技術、思考は、明日を作れる。明日、明後日、手を使って、針を持って、ひと針、ひと針、縫う作業の先に、お客様に満足していただける未来の時間が待っている。この思惟は、技術への飽くなき追求と、質の向上、もうこれで良いという限界のない時間を生きる世界である。

このモノ作りの思考にたどり着けたら、職人として生きる最高を目指す意思の表出、自己の居場所、永遠の住処となるでしょう。

イタリアでの生活は、主語制言語の中での生活です。常に自己の主張と存在を意識し、第三者とのコミュニケーションには、主語たる意志の存在を必要とします。イタリア語を使って生活する中で、自分の主張は曖昧にして、その判断基準は、好き嫌いにあって、しかもその好き嫌いは、社会一般常識との整合性に委ねている。日本語をイタリア語に翻訳する形での会話をしていると、相手のイタリア人は、私がなのか貴方がなのか？ 理解出来ないと、良く言われたのを思い出します。

イタリア語と日本語の違いには、単に言語の違いだけではない、思想的、また、感じ方、生活習慣、考え方の違いが当然存在します。それをしっかりと噛み締めて、把握しないと相手には理解をさせる事はできませんし、相手に判らせることは難しい。ましてや、芸術作品の理解、鑑賞には、これらの深い洞察が必要となってきます。

それに気づいたのは、六年前の上野国立博物館で開催された運慶展を鑑賞してからでした。

運慶とミケランジェロ

ミケランジェロを凌ぐ彫刻家が、ミケランジェロの四〇〇年もの昔に、日本に存在していた衝撃は、未だに消えてはいません。

運慶を頂点として、その彫刻技術は、裾野広く沢山の彫刻家が、存在していました。技術は言語ですからその技術は、紛れも無く、述語制言語、日本語を媒体として、彫刻制作における、木材の選択から始まり、木材の伐採、管理、乾燥具合、像のデッサン、彫刻、また道具の製作、各種斧の製作、彩色、仕上げと、多くの彫刻家が、その制作に携わりました。鎌倉時代の仏像彫刻家、仏師たちの頂点として、述語制言語である日本語だからこそ、運慶、快慶を輩出したのだと思います。

私の見た運慶の像は、衝撃でした。私が運慶の作品とコミュニケーション出来たのは、今考えると、茶道の修練と茶道を通して出会った坐禅です。茶道を始めて、数年後に観た宝生流の、能、その時も驚きました。あの能楽を、理解出来たのです。正座を、茶道で鍛え、腹式呼吸による茶道のお点前は、自己を消し、お茶を点てることに集中する訓練です。能楽の仕手とコミュニケーションを持てた事は、伝統文化の持つ共通のコードの存在を強く認識しました。

運慶の像のどれもに、丹田に籠る息の塊をかんじました。それは今もすぐに感じる事が出来ます。像をイメージするとお腹から私自信に力を感じて来るのです。

ミケランジェロには、そうした感覚は芽生えません。ミケランジェロは、原始キリスト教の教えを信じ、キリストの復活を信じていました。若干二三歳であのピエタ像を掘り出しはじめ、作り上げたのです。あのピエタ像を前にして、遺体のキリストは、マリアの膝から、脱力し、その身体をマリアは右手で支え、左手は、驚きを表すような、ため息を感じます。全ての人は、その像の前にして、感動するのです。ピエタ像、見事です。しかし、ピエタのテーマ、子を亡くした母親の悲しみは、感じられません。寧ろ、死ぬ一週間前まで、掘り続けたロンダニーニ邸のピエタ像、未完成のピエタ像（ミラノ、スフォルツェスコ城)が、子を亡くした母親の悲しみ、表現が出来無い事で、寧ろ一層の悲しみを表現していると、共感します。

大理石の石の中に棲む人物を掘り出して、その像に生命を吹きこむ。

二三歳のミケランジェロは、サン・ピエトロ大聖堂に納められているピエタ像を、二年で完成させている。熱心なキリスト教信者であり、キリスト教の教理の教えは、ミケランジェロをして、聖母マリアは純潔の若き女性として蘇らせている。

当時、マリア信仰に於ける、子を無くした母親の悲しみ、ピエタ像は、通常、中年の女性像が描かれていた。依頼主のジャン・ド・ビレール・ド・ラグロラ枢機卿は、出来上がったピエタ像を見て、マグダナのマリアか？　と尋ねた。

ミケランジェロの作品。25 歳に完成したピエタ像。ローマのサンピエトロ大聖堂に安置されてる。

ミケランジェロの描いたマリアは、若き聖女であり、年さえもとらない。

そして、キリストの復活を信じるミケランジェロは、マリアの表情には悲しみよりも、寧ろ驚き、冷たさを表現している。三十数年前ローマで観たバチカンのピエタ像は、これが人間が造ったのかと、目を疑う程のショックだった。

それからは、ローマに存在するミケランジェロの作品を見て廻った。

システィーナ礼拝堂には、数え切れないほど、訪れた。モーゼ像、しかり。

ミラノに来て、ロンダニーニのピエタ像を訪れた。ローマで見たピエタ像とロンダニーニのピエタ像の制作時の年令は五十年近く隔たっている。原始キリスト教の信者だった若きミケランジェロは、五十年の時間の経過の中で、周りの人々の死と限りなく向き合ったであろう。

そうした、知人の死という現実を前にして、子を無くした母親の悲しみを、自分の人生の最後まで，鑿をふるい、表現しようと、葛藤した様子が、ありありと伝わってくる。

ピエタ像を後ろに廻ってながめた。死んだキリストが、マリアを背負っている。

崩れ落ちそうなキリストの身体を支えている年老いたマリアが、背後から廻って像を見上げ

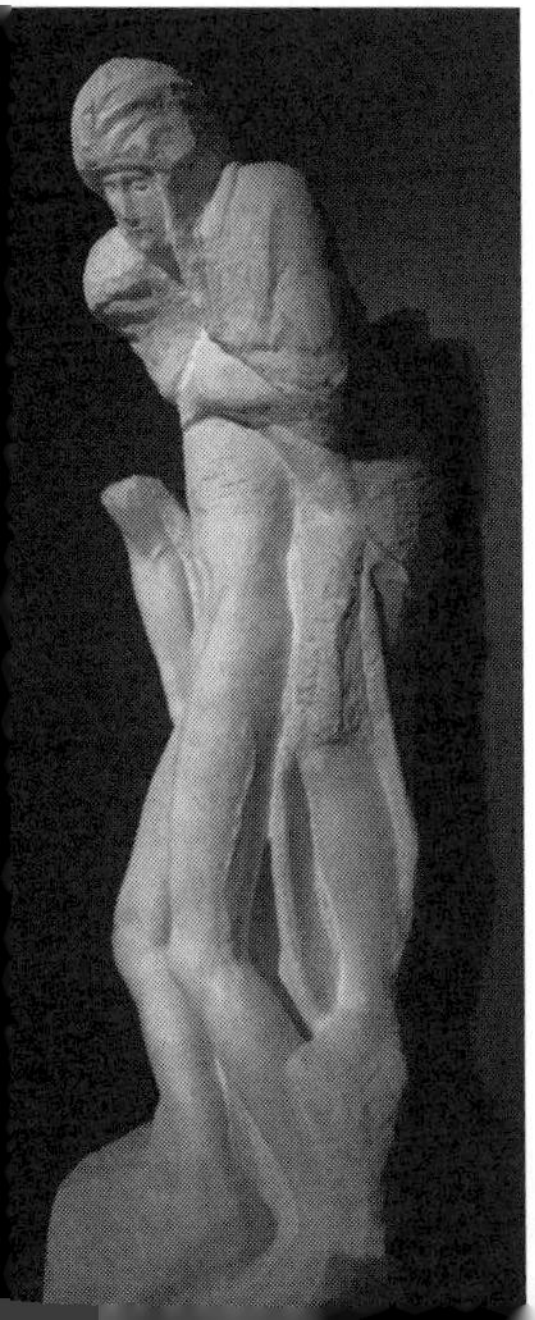

ミケランジェロ作。1559年。
ロンダニーニのピエタ像。
死せるイエスを抱く聖母マリア

てみると、マリアはキリスト教への信仰によって支えられているのかのごとく、キリストに背負われている。

人は信仰によって支えられているということか。

これは、批評家の説明ですが。

ミケランジェロは、素晴らしい、大好きな彫刻家、芸術家ですが、この作為は、主語制言語の論理で、説明を必要とする作品だと思います。しかし、晩年にまで及び、名声、富を手にした、ミケランジェロの貧乏人以下の生活には、感動を覚えます。衣服を着替える時間、食事を取る時間、寝る間をさえ惜しんで、制作に没頭したのですから。

バチカンのピエタ像から五十年を経たロンダニーニのピエタ像、生の現実と向き合いながらも、キリスト教の信仰に寄り添った、芸術家のキリスト教信仰の変遷を、大理石というマテリアルとノミと意志とで、格闘し続けた偉大な芸術家の最期の姿が、思い浮かび上がった。

一方の運慶に関しては、何の知識も無しに、長崎行きの飛行機の出発時間迄の二時間半、上野迄出向き、約一時間並びました。中に入ると、時間は、四〇分しか無かった。

どの像も信じ難い存在ばかりでした。衣服の襞の落ちてる様、軽く空気と触れ合う様、見上げると何かを凝視する鋭い目、圧倒されるその全身からは、強い精のエネルギーが、発散

ロンダニーニのピエタ像の後ろ側

俊乗房重源上人坐像　1195年から1206年重源上人没後間もない頃。運慶一門作

しているのです。正に、息をしているのです。像に向かって対等に見上げると、眼光は鋭く、息を吐く顔の筋肉は、頬は瘤をなし額には眉を寄せた怒りが吹き出て、顎を引いて発する怒声は、丹田からのエネルギーを感じ、我が丹田にも力が、自ずと入っているのです。そして鳥肌が立っているのです。

自分の仕事と比べると打ちのめされてしまいました。人の手からこんなものが、生み出されていた、しかも、千年もの昔に、、今の世の中では、不可能な作業、例え同じ物を作れたとしても、受ける感覚、コミュニケーションは、違うのは間違いありません。

物作りの観点に戻って、この運慶の時代の作業を司る環境は、人間の手の器用さ、手を抜かぬ細かい気の遠くなる作業の先にある意味ある到達点への認識が存在したのです。五メートルの巨像が、息をし、その丹田から、力のエネルギーを感じさせるのですから、その制作ビジョンには、便利さの追求など、考えもしなかった。今、我々の時代、便利さの追求が、物品経済の繁栄を築いてグローバル化を進め、結果、コロナ禍に悩んでいます。しかしこのコロナ禍のおかげで、ファッション・ビジネスに用意されたシステムから抜け出すことができました。我、関知せず。物作り、いかに無駄

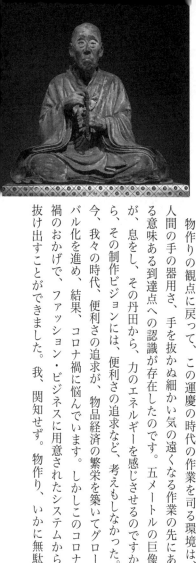

に時間をかけて、服を作るかに。運慶の細かい仕事を前にして、日本の職人がかって持っていた職への意志をとり戻したい。作業の先にある意味ある到達点への認識を、作業を通して、とり戻したい。それは確たる、個人の自信としてブレない意志をも作り上げるに違いない。

運慶作　奈良　興福寺中金堂の四天王

8 古波蔵先生の事　感覚と好みを保つ人

二〇〇一年八月三〇日、徳子さんから電話があった。

「義父が亡くなりました。」

尊敬して止まない古波蔵《こはぐら》先生*が、逝去された。

六本木のマンションから、那覇へ戻られ、体調を崩されていた。那覇まで会いに行きたいと願ったけれども、叶わないまま、永眠された。

古波蔵保好先生の思い出!

『古波蔵です。』電話の向こうに先生の声が聞こえた。

『え!　先生、今どちらから?』

『東京からですよ。』

『何かありました?　どうしたんですか?』落ち着きのない、応対をしてしまった。

ミラノまで電話がかかってきたのに驚いた。

* 古波蔵保好 1910年3月23日生～2001年8月31日没。エッセイスト、評論家、知る人ぞ知る美食家、『料理沖縄物語』は、第一回日本エッセイストクラブ賞を受賞。

『今度、米寿の会をするのだが、君、出てくれると、嬉しいんだが?』

『もちろんですよ。いつですか?』

『三月二三日です。銀座のソニービルの地下にあるマキシム・ド・パリに来て下さい。』

『え! 二三日、ですか、どうしてその日に・・・・』

『僕の誕生日なんですよ』

米寿の祝いの誕生日の会に招待されたのが、一九九八年先生が亡くなる三年前の春だった。

銀座のソニービルの地下、マキシム・ド・パリに着くと、旧知の先輩、諸氏の懐かしい顔と出会う。

『高橋さん。この会の会費とかはどうなってますか?』

東京時代の上司にこの米寿の祝いの会食会の事を訪ねた。

『御馳走さまで、良いと思うわ。古波藏先生が、受けとるとでも思う?』

招待を受けたお客様は八十数名だった。

先生の隣に妻の純子と二人で席に着いた。前には某出版社の編集長、その隣には某出版社の女性編集長、私らがイタリアからやってきた事を告げると、

『須賀敦子さんをご存知ですか?』

『はい、彼女の大ファンです。全て読んでいます。』

『残念ながら、先日亡くなられたのですよ。』

須賀さんの突然の訃報に、どうしてもっと早く会いに行かなかったんだろうか、と悔しい、悔しい思いを残した。

軽妙な先生のスピーチが始まった。沖縄での子供のころのエピソードを交えて、愉しい雰囲気のうちに、八八歳を迎えられた先生は、嬉しそうだった。

このチャンスに、全ての友人たちと会っておきたいという思いがあったのかなと今思う。

マキシム・ド・パリを出る時、沖縄塗りの真っ赤な鉢とお菓子の包みのお土産をお一人お一人に、先生から直に手渡された。

一人一人に、心のこもったお礼を述べられた。

翌日、池袋の知人宅に用事で出掛けた。昨日のお菓子を持参した。

するとそこのご主人が、

『船橋さん、このお菓子何処で手に入れられましたか？　なかなか手に入らない老舗のお菓子ですよ。

もともとは、京都の老舗で大政奉還の時に、皇室の要請で、洋菓子を学びにパリまで出掛けたという、皇室御用たちのお菓子家ですよ。』

この日も、中華料理のシェフズのオーナー、王恵仁氏が、古波藏先生の誕生日を祝って、上海の精進料理を用意してくれていた。ボラの腸の干物での薬膳料理の夕食の約束があった。

先生に電話、

『昨日は、有り難うございました。愉しかったです。』

『ああ、それは良かった。』

『ところで、先生、昨日のお土産ですが、あれは大変なお菓子じゃないですか？』

『ああ、あれかね。実は君、あれが昨日のメインだったんだよ。』

先生には言い尽くせない恩を受けた。

この恩はどう返せば良いのだろうか。

大人に成らなきゃ、といつも課していた気持ちの重しは、先生とのつき合いの中で、いつの間にか消えてなくなっていた。先生の子供じみた反応には、思わず吹き出して笑う事が、多々あったからで、興味深いことへの感情、感覚吐露には、先生の独特のルールがあった。

オペラファン同士という事もあったけれども、どこか馬があっていた。

先生と僕の誕生日が同じだったというのは、単なる偶然にしても、北大路魯山人も三月二三日生まれだったのを先生知っていましたか？

一九八六年の五月だったと思う。初夏の陽光がミラノの街一杯に溢れる薫風爽やかなころだった。鯨岡阿美子先生と古波藏保好先生とお二人でナポリ、ローマ、フィレンツェ、ヴェネツィア、ミラノ、メラーノ、ウィーンと約四〇日間ヨーロッパに滞在された。

その間二回、ミラノに立ち寄られた際に、お二人にお会いした。

深く、知り合うきっかけとなったお二人のイタリア旅行だった。ミラノではヴィサーニ、アルフレード、と日ころは縁のない高級レストランで夕食をご一緒した。

古波藏先生は、背筋が通った上品なお年寄り、寡黙な印象の初老の紳士だった。

「わたしの亭主よ」と阿美子先生から古波藏保好先生をご紹介戴いた。「主人はオペラが好きだから、貴方、仲良くしてね。」とぶっきらぼうに言い放たれた。オペラだったらこっちのもんだと鷹を食っていた。

その時の会話である。

「あんたは駄目だけど、貴方の弟の方は長い眼で観させていただくわ。」

鯨岡先生には、いつも頭が上がらない。思いが至らない処を、いつも見透かされているような、気がつかぬ自分の無意識さを悟られていて、それを怒られそうで、そんな畏怖心からくる緊張感をいつも先生に抱いていた。普通感覚で思考していると、阿美子先生の頭の回転スピードに就いていけずに、いつも泡を食っていた。しかし、弟の幸彦へ目をかけてくれた安堵感に、感謝の気持ちでお礼を言った。

その横で、何食わぬ表情で飄々とした古波藏先生は、顎を少し突き上げ、我関せずの視線の向こうに、ミラノの街並みは、モダンな建築デザインに溢れ、澄み切った青い空を斜角に切り取っていた。背筋が伸び表情は自然で、普通感覚ながら、精神性の充足感に満ち溢れる初老の人だった。

鯨岡阿美子先生が、アミコファッションズ、大野式立体裁断パターンメイキングの学校を設立されたのは、一九六四年のことだ。太平洋戦争中、毎日新聞の政治記者として従事され、男勝りのバイタリティで、仕事に、向かわれたそうだ。そうして迎えた戦後の敗戦の中で、これからは民主主義の時代、女性が働く時代がやってくると来るべき未来を見据えて、女性の働く場を生み出そうと考えられた。日本テレビの女性プロデューサーとして、仕事の場を作り、「僕と私のファッション」というファッション番組を企画、制作し、パリのデザイナー、ピエール・カルダン氏をテレビで日本に紹介、又パリ、ローマ、フィレンツェのアトリエ、デザイナーたちを日本に広く紹介する。

日本中の街中に、洋裁店、テーラー、アトリエ、色んな名称の昭和時代のファッション・メーカー、街の洋裁店が誕生してくる。東京、大阪の中心地には、既製服ファッション・メーカーが台頭し始めると、ファッション・デザイナーという職業が発生して来る。次には、女性

左頁写真：著者、大野順之助先生、弟幸彦
＊ 大野順之助先生は、大野式立体裁断の理論を構築され、日本のファッション業界にパターンナー（型紙を作る人）育成に、93 歳の現在、アミコファッションズの経営者として、多大の貢献を続けられている。

たちが職業に就けれるためにと、ニューヨークから、大野順之助先生＊を日本、東京に招いて、大野式立体裁断、パターンメイキング、パターンナー育成の学校『アミコファッションズ』を設立する。日本のアパレル業界の既製服の技術、パターン作成に大きく寄与したアミコファッションズには、日本アパレル業界に多くの優秀なパターンナーを育て輩出してきた。

大野式立体裁断は、日本のアパレル業界に優秀なパターンナーを育成して行く。十三年が経過して鯨岡先生は、古波藏先生とお二人で、四〇日間イタリアに旅行、滞在された。

ミラノでお会いした時に、鯨岡先生は日本のアパレルは、パターンナーとしての、服作りの技術は持った。これからは、ソフト、感性を開発するデザイナーの育成が必要だとおっしゃられていた。そんな状況の中でのイタリア旅行だったのではないかと今痛切に感じられる。そのころの私には、鯨岡阿美子先生のディレクターとしての思考は、全く理解出来ていなかった。先生は、私がミラノに遊学中と知っていらして連絡を頂いた。

ミラノのコック、アルフレッド・ヴァッリ

レストラン・グランサンベルナルド・アルフレッドは、知る人ぞ知るミラノのコック、アルフレッド・ヴァッリ氏がオーナーシェフを務めるミラノの家庭料理のお店である。Alfredo Valli 氏は、一九五〇年代スカラ座の一角にあるビッフィスカラのシェフを、十六年間勤め、ミラノ風カツレツの王様と称され、ミラノの家庭料理を、レストランのメニューにとり入れたイタリア料理界に輝く才能豊かなシェフだった。ビッフィスカラ時代には、マリア・カラス、ジュセッペ・ディ・ステファーノ、レナータ・テバルディ、ジュリエッタ・シミョナート、ジャナンドレア・ガヴァッツェーニ、マリオ・デル・モナコ、スカラ座の大スターたちが、シェフ・アルフレッド氏の「コトレッタ・アッラ・ミラネーゼ」「リゾット・アル・サルト」「オッソ・ブーコ」「リゾット・アッラ・ミラネーゼ」「ガンベリ・コン・カリー」これらのミラノ郷土料理に舌鼓を打ち、スカラ座のオペラ公演が終わった後、オペラらの余韻に、華麗極まる雰囲気の中で、バルバレスコ、バローロ、アマローネ、豊穣な赤ワインに、シェフ・アルフレッド氏のミラノ料理に、オペラの余韻を愉しんだであろう。その情景を想い窺うだけでも、一幅のルノワールを見るように、また、ヴェルディのオペラアリアが流れてくる。

ビッフィスカラのシェフを辞めたアルフレッド氏は　ミラノの記念墓地の左側の奥に位置した場所にレストラン、グランサンベルナルド・アルフレッドを、開いた。レストラン内はベー

ジュの落ち着いた色彩で統一されている。席数は一二テーブルほどで、店内は明るく、落ち着いた雰囲気の中に、階級を感じさせる気品に満ちたサービスは、心なしにか心地よい緊張感をお客様に与えていた。ワインは、バルバレスコ、前菜に牛のスジ肉の煮凝り酢漬け、プリモはリゾット・アル・サルト、セコンドはコトレッタ・アッラ・ミラネーゼ、デザートは、タルタタターン（アップルパイ）とアイスクリーム、料理は、どれも絶品で、お腹いっぱいになりながらも、アルフレッドの料理に、鯨岡先生、古波藏先生、至極満悦にお顔が微笑んでいらしたのを、思い出します。

恐い鯨岡阿美子先生

イタリアで会う鯨岡阿美子先生は屈託がなく、明晰に回転する思考は、プロデューサーとしての才覚に、満ち溢れていた。

ローマのサルト、Angelo Litrico の大の親友で、彼からプレゼントされたタキシードを見せてくれた。

どうして Litrico がプレゼントをとたずねた。

一九六〇年代日本テレビの女性プロデューサーとしてフランス、ローマ、フィレンツェのオートクチュールを、ＴＶで紹介した時からの友人だそうだ。

日本にプロデュースしたオートクチュールの中に、アンジェロ・リトリコ氏もいたのだそうだ。

ミラノのドゥオーモ、聖堂を見学した後、ガレリアの中にある高級レストラン、ヴィサーニで夕食をご一緒に戴いた。

東京時代、私は、『アミコファッションズ』の夜のコースに立体裁断の基礎を学ぶために通い始めていた。立体裁断とは、トワールを人体に直接に、ピンワークで着せ付けて、トワールを外し、平面パターンに置き変えていく。加えて、サイズ展開の理論は、イタリアでのフリーランスモデリスタとしての仕事に、大いに役立った。

何かの件で、鯨岡先生に呼ばれた。私の返答もしくは対応の悪さからか、いきなり罵倒された。

『あなた!、ケツの穴閉まってるの?』

返答にマゴマゴとしたのだろうか、それとも中途半端な受け答えをしてしまったのだろうか、今ではその詳細はよく覚えてはいない。

それ以来、鯨岡先生には、会う度に緊張感を覚えていた。

ローマで会った私の弟の事を、あれこれ話された。

『ナポリで一番おいしいピザを食べに行きましょう!』と車を出してくれて、ナポリまで車で出かけ、ピザを食べたんだけどそんなには美味しくないのよ。

これがナポリで一番美味しいピザです。そう断言する彼の言葉に納得して帰ってきたのだけど、でもね、一方的に断言する彼が気に入ったわ。貴方、アーちゃんと仲良くしてよ。私は貴方の弟を長い目で見るわよ！』

イタリアのあれこれを訊かれたり、答えたりして、会食は、とても楽しく、なごんだ時間が過ぎて行く。『アーちゃんもオペラが大好きだから・・・・』

弟とは、ローマで洋服屋をしていた幸彦の事だ*。

アーちゃんとは古波藏先生の事だ。

先生への印象は背筋が通った上品なお年寄り、寡黙な人だった。

お隣の阿美子先生は、無言のうちに人を押し黙らせる説得力を持っていらして論理的に話が進む。

時折鋭い内容を含んだ質問が、優しい物言い語りで、諭すようにやって来る。『きたぞ！』心の中で呟く。

『それで貴方は何をしてるの?』

イタリアでの生活の善し悪し、日本人との考え方の違いを、習慣の違いを、見聞きしたものを面白おかしく話していた。

『フリーランスのパターンナーとして、スピードと量に挑んでいます。

イタリアのデザイナーの要求するシルエットを表現するには、パターンナー自身が、それ

* ローマの“Sartoria Ypsilon”を、1994年ミラノに移す。弟は2009年に帰国、日本で同店を経営、私はミラノ店に残り、2023年日本へ帰国。イタリアの手縫いの伝統を守りつつ、彼は現在、パターン技術、3Dスキャン、キャド、AIによる修正の研究とその実用化を開発。

を把握してなくては駄目なんです。』

イタリアのあれこれを訊かれたり、答えたりして、会食は、緊張感を含みながらもとても楽しく、心温まる時間を過ごした。日本に住んでいて、鯨岡阿美子先生、古波藏先生と個人的に食事をすることなどまずはありえない。外国に住むからこそ日本の著名な方たちと知遇を得る事が出来た時代だった。途中、古波藏先生がウィーンのスタッツオパーで観劇したモーツァルトのオペラ、『コジ・ファン・トゥッテ Cosi fan tutte』の演出に話が進んでいた。

古波藏先生はオペラの演出に痛く共感されて、モーツァルトの音楽の饒舌な感動を伝えてくれていた。その時、横から阿美子先生が私に話しかけてきた。

『貴方の弟に、講演を頼むわ。テーマは、〝イタリアの紳士服とイギリスの紳士服の違い〟にするから、貴方から伝えてね。』

この件で少し話題が盛り上がった。しばらくして、目の前の古波藏先生が、グラスを片手に阿美子先生の話が終えるのをジーとして待っていた。

『チーン、チーン』何故か、古波藏先生が、コップを鳴らしている。

阿美子先生が、自分の出番を不満気に待っている古波藏先生に気づく。

『何よ！　なんか文句あるの！』

ふと、オペラの演出の話が未だ終わってなかった事に、頭が廻った。

『ところで、先生。オペラの演出は、どうだったんですか?』

私が、直にオペラに振った、その矢先、

『それがだね、君、素晴らしかった。女は全てこうしたもの、正にその通りの女性の心理を、歯に衣を着せない演出で・・・・』

同席していたもう一人のミラノ在住の『暮しの手帖』の編集者の女性は、おもわず、横を向いて、吹き出してしまった。

古波藏先生のその子供じみた嬉しそうな様子は、好感度を通り過ぎて、私までも思わず吹き出しそうになった。

ここで吹き出してしまっては、全てが終わってしまう。

そこで『ケツの穴』をグーと締めた。笑いを飲みこんだ。

『コジ・ファン・トゥッテは面白いオペラですね。モーツァルトは素晴らしいです。』と相づちを打つ。

阿美子先生は、呆れた顔をして、古波藏先生を眺めていた。

鯨岡先生は、感性、感覚、デザイナーの育成への必要性を強く強調されていた。日本のアパレルは服を作る技術は持った。これからはどう表現して行くのか、創造性が問われる時代になっていく、そうおっしゃっていた言葉が、いまだに心に残っている。

プロデューサーとして、技術だけの育成に不足を感じ始めていたのは、三十五年前の一九八六年の事だ。

その矢先、不幸な突然の死に見舞われた。

毎日新聞ファッション大賞に鯨岡阿美子賞が設けられた。

恐い先生だったけれど、何故か思い出すのは、微笑んだお顔だ。

ミラノの一九八〇年代

当時、わたしは、ミラノでフリーランスのモデリスタをしていた。

Avenue Foch というミラノのメーカーと契約し、社長の Marisa Malerba は、会社の一室を私のパターン制作の仕事部屋として使う事を許可してくれた。条件は出来るだけ、優先的に Tutti Insieme の仕事をすること、それだけだった。

社長の Marisa Malerba は、日本人のモデリスタというので、大変いい待遇を私にしてくれた。

一九八五年、イタリアは、戦後を抜け出し、経済活況の上昇中、特にミラノはファッションブームに沸いていた。イタリアには、沢山の職業が細かく分散され、その小さな職種さえ職人が、存在し、社会の隅々まで分業化されていた。ファッション業界は、まさにイタリア社会の縮図、徒弟制度が未だ残っていた。第二次世界大戦後の映画、ネオネアリズムの中に

ミラノドゥオモ前、鯨岡阿美子先生と

レストランSabiniの前、阿美子先生、
古波蔵先生、モデルのニコラと

その社会状況は窺うことができる。街には、注文仕立ての洋服屋が手縫いの服を仕立てている。ナポリでは、街中に注文仕立ての洋服屋が、沢山ある。

何故にこんなに洋服屋があるのか？　理由は至極簡単、ナポリの男はおしゃれが好きだからだ。自分のために服を仕立て、着飾り、自分を鼓舞する。そんな服だから細かい細部にいたりシルエットにまでこだわる。肩の位置、衿のラペルの大きさ、ゴージの切り替え位置、衿の開き具合、ボタンの個数にウエストの絞り具合、袖の太さ、袖口の広さ、袖のシルエット、着丈のチェック、ナポリ男の頭の中は、服の注文で頭の中は、蝿がブンブン飛び回っている。そんな中で仕事をしているナポリのテーラーたちは、針一本で、素晴らしい服を仕立て上げる。

そのスーツは、見事なシンプルさで格調高い衣装としてその存在を主張するが、そのシンプルさに隠された、針仕事、いく種類もの芯地を駆使した毛芯は、卓抜した経験と熟練とが、スーツを隠れて支えている。

一九七〇年代後半ごろから、パリのコレクション、ファッション・ショーでは、日本人デザイナーたちが、我が物顔でパリを闊歩し始めた時代だった。コムデギャルソン、ヨウジヤマモト、イッセイミヤケ、コシノジュンコ、タカダケンゾウ、山本寛斎、モリハナエ、トリイユキ、世界中のバイヤーたちが、日本ファッションに群がる様に買い求めた時代の始まりであった。

この時代にこのパリ、ヨーロッパで、何が日本人デザイナーに、要求されたのでしょうか？

日本人デザイナーたちのファッションが、フランス人、ひいてはヨーロッパのバイヤーたちの興味の対象になったのであろうか？

日本人特有の平面的感覚によるボリューム感と黒グレーを基調としたモノトーンの色彩、ヨーロッパ、特にパリ・ファッションからは絶対に出てこないボリューム感溢れるデザイン、着物感覚の洋式化とでも説明しようか、フランス人には、生み出せないシルエット、それにいち早く飛びついたのが、ボーグをはじめとする、ファッション雑誌のメディア、ジャーナリズムだった。黒、グレー、濃紺、シルエットは体を包み覆うような、ボリューム感あふれる平面的ながら、歩くとうごめく衣服の異様さは、斬新な新鮮さでパリのファッションを凌駕していた。フランスファッションは、政治力とジャーナリズムとの両輪が、ベースとして成り立っている。その一方に立つファッション・ジャーナリズムは日本の伝統的美学をベースに自由闊達なデザインの日本ファッションに、両手をあげて、賛美し続けた。こうして日本人デザイナーのファッションは、パリを起点に、ヨーロッパ中に広がってゆく。イタリアにおいても、ミラノ、ローマ、フィレンツェ、ボローニャ、ベニスの有名ブティックにもコムデギャルソン、イッセイミヤケ、タカダケンゾウ、コシノジュンコ、ヨウジヤマモトらのファッションは、ウィンドウの華となっていた。

ファッション界において、そんな日本旋風がパリで起こっていたのである。このパリでの日本旋風は、日本人モデリスタにとって、イタリアでは引く手数多なのであった。

偶然辿り着いたローマ、イタリアで、パリで活躍する日本人ファッション・デザイナー諸先輩のおかげで、ミラノで職を得ることが出来た。

また、イタリアの伝統的オートクチュール、洋服屋が作る服への需要が昂まりイタリア・ファッション業界の台頭が起り、発展途上の最中にあった、一九八〇年代だった。世界中からデザイナー、パターンナー、ファッション・カメラマン、モデル、メークアップ・デザイナー、ヘアー・デザイナー、広告代理人、ファッション・ライター、アクセサリー・デザイナー、ありとあらゆる職種に、ありとあらゆる国籍が、交流しあった輝かしい時代でもあった。

「Tutti Insieme の女性社長、マリーザ Marisa Malerba は、会社内の一部屋を私に提供、与えてくれた。「好きに使っていいわ、ただし、私の仕事を、優先してね。」

日本人紳士

日本人は、相手の身になって、謙譲語、尊敬語を使うと、イタリア人にはその動機が理解できない。

古波藏先生、鯨岡先生にイタリア生活における、あれこれを語った。

この Marisa の好意には、今でも頭が下がる。

このアトリエにお二人に来て戴いた。

Marisa Malerba を紹介した。

『なんてエレガントな男なの、彼はサムライか？

日本人のベッロ！（良い男）を始めて見た。』

Marisa は納得したかの様に言った。

身のこなし、相手へのエスコート、仕草の自然さ、私の目指す理想の大人のイメージを、古波藏先生に見たのが、この出会いだった。

古波藏先生のダンディズムの香りを感じた。

「Yoshi、初めて日本人の紳士を見たわ。」僅かな時間の応対の中で、先生の印象を、先生の魅力を感じていた。古波藏先生に出会うまで、頭の中には、大人にならなくてはという強い強迫観念が付き纏っていた。それは、想いとは逆行して、ミスが無いようにとか、自分は大丈夫、自信の無さを暴露しないように、自己防衛本能を張り巡らせたせせ細かしさの反面だった。

大人にならなくてはというイメージを払拭させてくれた見本だった古波藏先生の行動の規範、考え方は分かり易かった。礼儀正しさ、その場その場での規範規律が窺い知れ、判断力と経験に裏づけられた知識、趣味における洗練さと、鍛え抜かれた取捨選択、その洗練された好みとで、一個人の確たる資質を窺い知ることが出来た。趣味の領域の中に、衣服と食に関する修練された味覚と感覚は、古波藏保好、知る人ぞ知る先生でもあった。

「君、万物の霊長たる人間ですよ。滅多なものを、口に入れてはいけません。」

食事を、相伴させていただくと、このような美味しい食事をしたことがないとその度に感動させられた。中華、フランス料理、和食、ただ、寿司だけは召し上がらない。知らない人の素手で握った寿司を、口に入れる勇気を持てないと、寿司屋へは足を運ばない。まずいものは口にしない、得心を得ないものは身につけない、徹底した排除主義は、流通が発達した現代社会においては、強い警鐘のようにも聞こえてくる。何が不味いものなのか、何が得心を得ないものなのか？　生活の中で、選択する必要性を古波藏先生との時間を想いつつ、亡くなられても今尚先生との対話は続いている。

沖縄行　古波藏先生の黙した案内

鯨岡先生が亡くなって、沖縄の那覇の古波藏家のお墓参りを先生に所望した。ミラノから東京、羽田から沖縄へと那覇空港に着く。

空港まで、迎えに来ていただき、宿泊ホテルへと案内された。二泊三日の旅である。空港から久茂地の先生宅まで、タクシーを使った。先生宅は那覇の旧市街に位置し、ずっしりとした重量感のある赤茶けた琉球瓦の屋根の被さった二階建ての木造家屋である。先生の妹さん、登美さんが始めた琉球宮廷料理をおもてなす、料亭「美栄」である。古波藏先生の味覚、人間形成の根幹に、深く繋がった場所、原点がこの久茂地の「美栄」である。先生が執筆された「料理沖縄物語」。

沖縄の料理が、野菜、風土、風習、そして歴史と沖縄の生活が生き生きと蘇ってくる。その先生の居間で「美栄」の料理をご馳走になる。

中華料理でもない、日本料理でもない、沖縄の文化の違いを料理の味が物語っている。

食後ジャスミン茶が出された。六本木のご自宅で頂くジャスミンティーと同じ香りだ。香港の英記茶荘のジャスミンティーの味だ。

「君、バナナはどうですか?」

「バナナですか?　先生!」

私はあの大きいバナナは、好物ではない。触手は伸びない。

しばらくして、

「君、バナナはどうですか?」

二度尋ねられた。あっ、先生、バナナを食べさせたいんだ、と察する。

「沖縄のバナナですか?」

「そうなんです。これがまたじつに美味しいんですよ。」

そう言って、奥の間に入られ、戻って来た時は、両手に紙箱を抱えられていた。箱を開けると、見たことのない小さなバナナがきっちりと並べられている。さあどうぞと、手を伸ばす。八センチばかりの長さの小さな熟成されたバナナが薄い皮を剥かれ、深い黄色い色の実を口に運ぶとなんという甘さ、口腔いっぱいに香りが広がり、甘さがトロけた。こんなバナナは、これまで味わったことがなかった。

「美味しい！」と思わず口ずさんだ。

その脇を、お嫁さんの徳子さんが、

「あら、お義父さん、モンキーバナナですか？」と通り過ぎる。

「バッカモン、モンキーバナナは、ボルネオの密林で、猿が食べるバナナだ！」

熟する前のバナナを、紙箱に入れて一週間熟成させると美味しく食べられると、モンキーバナナならぬ沖縄バナナを食した。

夕食は、美栄のお料理に舌鼓を打った。

五〇年物の古酒は、水のように喉を通って行く。酒に弱い身ながら、すっかり飲んでしまった。古酒の意味を尋ねると、沖縄、首里の身分の高い旧家には、一〇〇年物、八〇年物、五〇年物、三〇年物と甕に泡盛を封をしてそれぞれの年数が経つと、封を空けて飲む。一〇〇年物を、一合汲むと、八〇年物から一合汲んで、一〇〇年物に継ぎ足す。其々の甕の飲んだ分量、継ぎ足す。こうすると、何年経っても、一〇〇年、八〇年、五〇年経っても、永遠に存在し続けさせるのだそうだ。一合汲んだら、一合泡盛を加える。つまり、一〇〇年、五〇年物の古酒は、永遠にその品質と量を保つのだ。

「石川の水族館にジンベエザメがいるんだが、君見にゆきませんか?」先生からこう告げられた。水族館? 鯨岡先生のお墓詣りに来て、水族館? 何か合点が行かない気持ちだったが、先生は自分の意見を押しつけるような行動はとらない。どんな小さな事においても、必ずまず相手の同意、意見を求める。

「先生、いいですね。ジンベイザメ見た事ないですよ。見たいです。」

「ああ、そうかい、では、明日、ハイヤーを頼んでおきますから、それで出かけましょう!」

翌朝、先生は、ホテルにハイヤーで、迎えにみえた。石川までは、那覇から二時間ほどかかった。高速道路に、入ったハイヤーは、石川に向かって、北上する。

「道路は、随分と空いてますね。」

「沖縄では、わざわざ急ぐことにお金を使う人は、居ませんよ。」

石川の水族館に着いた。巨大な水槽にたくさんの魚が泳いでいる。

巨大な水槽を前にして立っていると、水槽の水に押し潰されそうな幻想、水槽に入りこんだ錯覚に陥る。と右の奥側から、ジンベイザメが、泳ぐというより移動してこちらにやって来る。目の前を通り過ぎると別のジンベイザメが左手からやって来る。

『大きいですね。』

『ああ、大きいね。』

ほとんど会話をすることも無く、十数分水槽の前で魚を眺めていた。

『さあ、ゆきましょうか！』

水族館を出ると、植物園があった。

『ここに胡蝶蘭の植物園があるんだけれど、胡蝶蘭は見ませんか？』

案内されて、胡蝶蘭の植物園に入ると、何万本もあるという胡蝶蘭、白い胡蝶蘭が、蝶のように飛び舞っているかのような素晴らしさに圧倒され息をのんだ。

『鯨岡が、この胡蝶蘭が、好きでした。

青山霊園での葬式の時の献花は、胡蝶蘭にしました。関東中から、胡蝶蘭を集めました。

線香よりも、喜ぶかなと思いましてね。お金はかかりましたが・・・』

植物園を出ると時計は、昼はとっくに過ぎて、空腹感に襲われ始めた。昨夜の「美栄」のおいしい料理は、消化が良いのでお腹はおいしいものを要求し始めていた。

本当に、胃がグー、グーとなっていた。

植物園にあるレストランに入った。昼食の営業時間は終わっていた。先生はウェイトレスに何か口に入れるものはないですか？　とカレーライスとかはと尋ねた。コーヒーしか出せないという。コーヒーを頼み、コーヒーで腹拵えをした。『君、ひもじい思いをさせてすまないね。』コーヒーで昼食代わりにして歩いていると、ハンバーガーの売店がある。ハンバーガーはどうですかと聞かれるから、はいと答えると、先生は売店の女の子に、ハンバーガーを二つと頼まれた。一つ目が出来上がり、先生に手渡されると、『どうぞ、お先に！』いただいたハンバーガーに、かぶりついていた。

『あ、お姉さん、中のハンバーグは、外してパンだけをください。』

先生は、パンだけを食べられた。しまったと思った時には、私のハンバーガーは胃の中に消えていた。考えてみると、先生がハンバーガーはと尋ねられたときに、先生もハンバーガーを食べるのかな？　と不思議に思ったが、それ以上にお腹が空いていた。食べるわけがないじゃないか、先生が、ハンバーガーを！　お腹の中のハンバーガーに、恨めしい思いを持ったが、時すでに遅かった。

石川からハイヤーに乗りこみ、那覇へと向かった。時差ぼけが襲ってきて、車の中でうつらうつらし始めてきた。

『この近くに戦国大名の護佐丸が建てた座喜味城があります。』

眠気が襲い先生の提案に答えられずに、先生に三度も同じ言葉を繰り返させてしまった。

『お城ですか？　良いですね！　見たいです。』

『運転手さん、座喜味城まで寄ってください。』

小高い丘のてっぺんに建てられた座喜味城は、城壁に囲まれた野原だった。昔そこには座喜味城が、木造の城が立っていたのだろう。城壁から広く遠望する景色は、大地と空と雲が一体になったような、昔のどこかで見た景色、懐かしい記憶と結びついてゆくような感覚を感じた。

『先生、ここは素敵な場所ですね。この野原にはお城が立っていたんでしょうね。』

『はい、アミコもここが好きで、沖縄に来ると、よく出向いたものですよ。』

丘を登る坂道で見た、城壁は丘の斜面に沿って積み上げられ、沖縄三味線の奏でるメロディーが聴こえてくるような柔らかななだらかな曲線を持つ城壁だった。遠くに飛行機の影が、一機小さく低く飛んでいった。

那覇の先生のご自宅、『美栄』に戻ったのは夕方六時を過ぎていた。先生は一冊の大きな本をお持ちになった。

『沖縄の建築』という本であった。その本の後書きに、座喜味城についての先生のエッセイがあった。読んでいると、今日、先生に誘われて登った座喜味城跡の光景がまざまざと蘇ってきた。自分が感じたことが、文章として書き綴られていた。それは、見事だった。

ホテルで朝目を覚ますと、東京へ戻る支度を手短に済ませて、チェックアウトをするため

にホテルのチェックカウンターで、

『何号室の船橋です。お会計をお願い致します。』

『船橋様、お部屋はご予約の際に、全額お支払いされています。ありがとうございました。』

古波藏先生は、二泊三日の私の沖縄旅行に、鯨岡先生のお墓参り、石川水族館のジンベイザメ、胡蝶蘭の植物園、座喜味城跡と、鯨岡先生が沖縄にいらした時に必ず立ち寄られ、好きだった所に私を案内してくれた。それはその場に鯨岡先生も同伴されていたのだった。

当時は、理解出来なかった古波藏先生の思惟は、先生が亡くなられて数年後に、ハッと我に帰ったかのように気がついた。この沖縄旅行は、今でもはっきりと思い出す。その思い出を反芻し、古波藏先生と対話して行くうちに、先生の考えていることが、理解できたのである。私を鯨岡先生と再び出会わさせるために石川まで行き、ジンベイザメを見、胡蝶蘭の植物園、座喜味城跡、鯨岡先生の好きだった沖縄を説明することは一切しなくして、私に、投げ与えてくれたのだった。

それは、投げかけられた私が、受け取り理解しなければ霧のように消えて行く時間、記憶でもあった。

あの沖縄旅行は、何度も何度も思い出し、鮮明な記憶を伴って呼び起こすことができる。私の感覚に深く共感を響きかけたからであった。

鯨岡阿美子先生が亡くなった後も、オペラの切符は二枚求められていた。先生の隣の空席に見えた席には、古波藏先生には阿美子先生が、座っていらしたのだ。

あれから何年も何年も経ったにもかかわらず、私は今でも阿美子先生、古波藏先生と対話をしている。

古波藏先生は、存在としての人間への尊厳を大変に、大事にされていた。亡くなられた阿美子先生へ、実際に一緒に生活されている様に対処されていた。さりとてそのことを一言も釈明することはなかった。実際、私の沖縄旅行は、阿美子先生の好きだったところばかり、阿美子先生が、観て感じたことを、わたしは、追体験する、その結果いつしか、その風景の奥に、阿美子先生が浮き上がってくるのです。人の想い、感性の大切さ、多くのお土産をいただいた。今でも、古波藏先生との対話は続いている。

鯨岡阿美子先生と古波蔵保好先生

9　天正遣欧少年使節　ローマを観た日本キリシタンたち

千々石ミゲルの墓！

今回、帰長崎の目的の一つである、千々石ミゲルの墓へ行った。

天正の時代は、戦国時代の群雄割拠の争乱から織田信長による全国統一がほぼ成し遂げんとしていた時代である。

そうした動乱の時代に、キリスト教が多大な利益を生み出す南蛮貿易という、利権と鉄砲という武器と共に日本へ上陸する。その価値をいち早く理解し利用したのが、織田信長であった。そのころのヨーロッパではキリスト教は、一五一七年、マルティン・ルターの宗教革命によって旧教（カトリック）と新教（プロテスタント）の二つに別れていた。

多くの教徒を失ったカトリック側は、新たな教徒獲得の為に、大航海時代の流れに乗って、アジア、アメリカへと進出していく。

イエズス会の牧師たちは日本の大名たちへの宣教、布教を強化していく。

戦国大名の富国強兵への早道となる南蛮貿易へのとり組みには、宣教師との交流は欠かせないものであった。

Alessandro Valignano は、イエズス会の日本巡察師として、宣教師たちを監視、指導する立場にあった。当時の日本の文化、社会習慣を観察し布教活動方針を決定していった。当時の日本文化、日本人の優秀性をヨーロッパと比べて、勝るとも劣らない日本人の持つ高い教養と知的好奇心の高さを認識していた。

千々石ミゲルは大村純忠の甥、有馬晴信の従兄弟、千々石直員の子息として肥前の国（長崎・佐賀両県）に生まれる。有馬の（島原）セミナリオで司祭となるべくキリスト教を学んでいたところ、容姿端麗、家柄も良く、キリシタン大名の名代として、少年使節の一人に選ばれる。ヴァリニャーノは、キリスト教区圏の繁栄するヨーロッパを、若き日本の少年たちに、直接、見、聞、感じさせ、その体験と認識を日本に戻って日本人自らの手で語らせることを思いつく。日本人による日本人への布教の重要性を痛感していた。

と同時に、ヨーロッパ、とくに法王へ、日本人の優秀さを知らしめ、日本布教の強化を認識させ、イエズス会こそが他の宗派、ドミニコ会、フランチェスコ会との宗派争いから、独自の布教援助を法王から引き出させる政治的目的があった。

キリシタン大名として名高い、大村純忠は領民全員をキリスト教徒に改修させ、偶像崇拝

アレッサンドロ・ヴァリニャーノ
Alessandro Valignano (1539-1606)

を、悪魔信仰とするキリスト教の教えに従い、当時の神社、仏閣、仏像、残らず廃仏毀釈し、そのすざましい仏教徒迫害は、領地に一寺さえも残らなかったという。

こうしたキリスト教に於ける日本社会との軋轢は、豊臣秀吉のバテレン追放令、を生み出していく。秀吉は、日本人を、奴隷売買の対象となってる事実と、ヨーロッパ列強が日本を植民地化する意図を、キリスト教布教の目的としていることに気がついたのであった。ひいてはキリスト教禁止令、鎖国へと繋がっていく。

四人の少年、一個人、一人の人生が、西と東の国家間の政治的、宗教的、歴史的な時間の流れに押し寄せられ、浮き沈み、右や左に揺れ動かされ、そしてその人生を、終息させていった。四〇〇年の長い時間の流れの果てに、失われたその存在が、一個の大きな墓石として、奇跡的に出現する。

千々石ミゲルこと清左衛門とその妻を葬ってあるこの墓石は、大村藩に深い恨みを持って亡くなったので、大村城を睨みつけるように見えるこの丘の斜面、この地に、葬った、と云う伝説がこの墓にあるそうだ。

この墓の施主、千々石玄蕃、ミゲルの妻、又ミゲル自身、その波瀾万丈の彼の人生には、思いを馳せるおおくのロマンを感じてならない。

天正の少年使節

天正遣欧少年使節が一五九〇年七月二一日に日本、長崎に帰国する。

帰路、二年半という永い永い苦しい船旅を終えての帰国に、長崎は出迎えのキリスト教信者たちで溢れ、お祭り騒ぎだったという。

フランシスコ・ザビエルが鹿児島に来たのが一五四九年、僅か三十年という短い期間に、西日本を中心に三〇万人の信者を増やした。

一五八七年には二〇〇の教会堂が西日本を中心に出来、セミナリオ（神学校）も安土、有馬にコレッジョ、一般教養を教える大学も作られた。Alessandro Valignaano は、キリスト教布教の成果を、ローマの法王庁、グレゴリウス法王への報告と第二世代のキリスト教教徒たる若い世代にキリスト教国、ヨーロッパの繁栄栄華を見聞させ、直接彼らの言葉でヨーロッパを語らせれたら、その効果は計り知れないだろうと考えた。

加えて、日本布教の成果を報告させ、より一層の援助資金を法

王から得る政治的目的を持っていた。

四人の少年は日本外交史上初めての遣欧使節として大成功のうちに日本へ戻った。

しかし、ヨーロッパの都市国家が彼らをいかに歓待したかを日本の歴史は語ることを禁じた。

日本を発った一五八二年、同じ年の六月二日、本能寺の変で、織田信長が自害する。

信長は、狩野永徳に書かせた安土城の屏風を Alessandro Valignano に贈っている。Valignano は法王グレゴリオ十三世への贈り物の一つとして、この屏風を献上している。

無き安土城の当時の姿を描いた唯一の資料として、今なおバチカンの倉庫の何処かに眠っているのだろうか？

信長の後継者、豊臣秀吉は一五八七年キリスト教を禁止する。

少年たちが戻った日本は、バテレン追放令が敷かれ、秀吉のご機嫌伺いによってはその禁止令をとりさげられるのでは、という一縷の望みの中で、一五九一年三月三日、聚楽第で秀吉と謁見する。少年たちはビオラなどの西洋の楽器を使って、ジョスカン・デ・プレの曲を演奏する。

秀吉はいたく気に入って、再演を望み、又その楽器を望んだ。

それらの楽器を秀吉に献上する。それらの楽器は、その後、徳川家康によって聚楽第と共に焼失する。

時代は秀吉から徳川の時代へと移り、迫害は増していく。

右頁：天正遣欧少年使節
右下が千々石ミゲル (1569?-1633)

四人の一人、千々石ミゲルは帰日後、一年にして棄教する。仏門へ入り結婚して六三歳で長崎の何処かで亡くなる。四〇〇年後の約一五年ほど前、千々石ミゲルの墓が発見される。

一六一二年江戸幕府が最初のキリスト教禁止令を発布する。

当初、南蛮貿易で富を得ていたが、増えて行くキリスト教徒は、七〇万人にもたっしていた。イギリス人ウィリアム・アダムスを外交相談役とする。

彼はプロテスタント、旧教、キリスト教とは違い、布教には一切興味を持たないことで、ポルトガル、スペイン、イタリアとの相違を強調する。

図らずもプロテスタントとカトリックの争いが、ここ日本の侍社会に波及する。

一六三七年、島原の乱が起る。天草四郎は、千々石ミゲルの子ではないかという噂が流れた。長崎に帰ると、寺町辺りや中島川沿いの古い町家を肩越しに歩く。そうしていると、千々石ミゲルの半生の彼の思いに、触れようもないのだが、知りたい熱い思いが胸に湧く。

あのローマの栄光の日々を、ヨーロッパのルネッサンス末期の、多くの貴族騎士、教皇から贈られた最高の栄誉の記憶を、どのように心の中に押し潰して、一市民としてこの長崎で生きたのだろうか。

中浦ジュリアンの壮絶な拷問死よりも平凡な人生の中で一生を終えた千々石ミゲル＝清左衛門への気持ちに想い揺れ通う。

『日本巡察記』（平凡社東洋文庫）を読む。日本人、日本の生活習慣、性質、又その資質、能力の有無に関して、又、同じ白人種、人間として認められるかどうかを、ローマの教皇庁に書いた報告書である。

時代は、室町幕府が信長によって滅ぼされ、群雄割拠、下克上の戦国時代の真っ只中である。一五八二年、織田信長が、明智光秀の謀反によって本能寺で自害した年だ。

Alessandro Valignano は、イエズス会の巡察師として、日本、中国のキリスト教布教の状況把握の為に、東アジアを訪れる。

織田信長との謁見に成功し、日本に於けるキリスト教布教の許可を与えられる。信長の望みは、インド、西洋の国王に、自己をアピールする事と、南蛮貿易に於ける富の蓄積にあった。

若桑みどり氏の『クアトロ・ラガッツィ―天正少年使節と世界帝国』からの引用です。

織田信長の安土城建築、その内装、屏風の豪華絢爛さ、当時の明日をも知れぬ権力闘争に明け暮れた、武士の婆娑羅趣味、これ以上の豪華絢爛さは、無いと云うほど贅を尽くした安土城は、瓦には金箔を張り、五層七重の天守閣、高さは三三mの、日本では最初の壮大な城であった。

Alessandro Valignano の巡察記は信長の思い描く望みと、その動機の片鱗を浮かび上がらせてくれる。

信長のキリスト教容認の時代背景は、全国統一の戦いの一つに、一向一揆、仏教との壮絶な戦いもあった事を考えさせられる。

若桑氏の歴史への検証の鋭さと、緻密な読みの努力に感銘をうける。そして読む側に信長の個人としての顔、人格さえもが浮かび上がる。

信長のキリスト教の布教容認は、仏教徒への牽制という政治的目的が、その動機の一つに揚げられる。

イタリアに住んで，三十数年が過ぎた今、ヨーロッパ人が日本を、日本人をどう理解するのか、どう感じているのか、いつも気になるところだ。

イタリア人に囲まれて生活していると、毎日、否応無しに自分が日本人であることを、痛切に思い知らさせられる。

良しにつけ悪しきにつけ、生活習慣、嗜好、感受性、考え方は異なる。

五〇〇年もの昔，日本に行ったイエズス会の宣教師たちは、逆の立場で、日本人の中で、生活習慣、嗜好、感受性、考え方が異なる日本に対して、何を感じ、どう書いたのか。

この何ヶ月もの間、Alessandro Valignano という人物への　興味は尽きない。

10　茶道と坐禅　自己滅却との邂逅

茶道を始めた動機と坐禅と

海外生活が長くなった。ここはイタリア、ミラノに四十二年住んでいる。ブリュッセルから、南東に列車に乗り約二時間半、Sant'Tuber にある修道院での座禅講習会に三回、参加した。ベルギーの茶道裏千家の会が主宰し、ローマ在住の野尻先生をお呼びして、茶道講習会が行われていた。修道院に居住して、朝六時三〇分から夕方六時半まで、坐禅講習は行われる。座禅は、京都の大徳寺真珠庵の山田和尚が、京都よりおいでになり坐禅の指導を行われた。

坐禅は、子供のころから何故か興味があった。座禅をすれば何かを得られる、その何かとはなんだか分からないものではあるが、座禅を経験することが重要で、そこから何かが得られる気がしていた。それは育ち成長するにつけ、映画や、小説、多くのこととの出会いの中で、インプットされ続けてきた禅の精神を憧れるようなものである。その憧れと出会えるのだから、そういう思いで参加した。茶道は、すでに始めて数年経っていた。時々茶道の講習会が、ミラノの道場であった。その始まりは、いつも坐禅から始まった。その坐禅は、二〇分程度のものだった。

ブリュッセル、ヒュッテベルテの修道院での坐禅講習会は、坐禅のみ、朝六時三〇分から、般若心経の唱和から始まる。夕方六時半迄坐る。二五分坐り、一〇分、経行（きんひん、歩いての禅）を繰り返し繰り返し、ただただ坐る。午前の坐禅が終わり、お昼の休憩は、何か心が緩む、至福の時間のように感じる。この心境は個人の坐禅との向き合い様によって様々であろう。私はまだまだ坐った時間経験は、無いに等しいのだから、決められた時間座っていることが出来れば、本望ではある。

午後の坐禅がはじまる。鼻から息を吸い、丹田に通す。お腹から息を鼻から出す。一と数える。鼻から息を背骨に通して丹田に吸いこみ、やや息を体内に漂わせて、ゆっくりとお腹から鼻を通して鼻から出す。二と数える。この呼吸を一〇まで数える。その十回ワンセットが終わると、また一から数える。呼吸は少しずつ長くなって行く。初めは一呼吸が五秒から一〇秒だったのが、二〇秒、三〇秒と深く長くなってゆく。ただただ呼吸することに専心する。

もうダメだ！　足が痛くて続ける自信が、危うくなってくる。腰を入れ、背筋を伸ばし、顎を引いて、ひたすら呼吸回数に集中する。警策を構え山田和尚、助警が、回ってきた時に、合掌をし、頭を垂れ、背に警策を受ける。受けた後は、合掌をし、ひたすら呼吸をする。何度も、何度も、もうダメだ、脚の痛みに耐えきれず、まさに心が折れる。その度に、痛みを忘れ乗り越えるために、ただただ呼吸に集中する。もうダメだと何度も、何度もこの繰り返す痛みからの解放が、経験値となってか、どんなに痛んでもやがて消える事を知ると、痛みが起きても不安は、消えていく。不安からの解放は、痛みを受け入れ、気持ちが楽になり、呼吸への集中が、高まる。

四〇人が、呼吸に集中する空間に、えも知れぬ不思議なエネルギーを、感じた時、「動くな！」凄い気迫に孕んだ怒声が、坐禅空間を、突き破った。

怒髪天を衝く声には、響き、声のスピード、何よりも息のチカラに満ちていた。集中感を失くし、痛みに耐えられず、モゾモゾ動き始めると、その動きは、直ぐに、隣に移り、伝播する。

茶道を始めた動機には、イタリア生活が長くなってきたころから、日本とイタリアとの歴史的関わりに関しての、興味が拘っている。歴史的出来事の中で、天正の遣欧少年使節は、歴史的大事件でありながら、その意味するところは、あまり知られていない。ヨーロッパで起こったマルティン・ルターの宗教革命によって旧教、クリスチャンは新教、プロテスタントにその勢力を縮められ、折して、大航海の時代に入ったヨーロッパ列強は、希望峰を周りインド洋に出て、アジアに辿り着く。キリスト教布教と南蛮貿易で富を築いて行く西欧列強は、日本の種子島に辿り着く。そうして、キリスト教を伝播し、鉄砲、武器をもたらした。

当時、日本は、安土桃山時代、室町幕府が衰退し、戦国時代の真っ只中であった。戦国大名たちは、競って南蛮貿易を望み、鉄砲武器弾薬を渇望した。この取り引きに成功したのが、織田信長であった。

尾張の小さな城主であった織田信長は、南蛮貿易による火縄銃を買いつけ、桶狭間の戦いで今川軍を破り、頭角を上げていきます。この傾向は、日本の当時の政治勢力状況に大きな影響を与えていきます。フランシスコ・ザビエルが、齎したキリスト教と火薬、武器は、戦国大名の喉から手が出る程欲しい物になります。南蛮貿易を斡旋する手助けを、キリスト教の宣教師たちが担う構図が、生まれます。

1989年ケンウッドのコマーシャルモデルの写真

彼らは大名にキリスト教を広め、大名がキリシタンになると、その藩の領民は、宗主替えとなり、西日本、近畿地方に、多くのキリスト教宗徒を、生みだしました。
堺の商人、千利休は茶の湯を、茶道に高め、多くの弟子を持ち、その中の利休七哲と呼ばれる戦国武将の多くがキリシタン大名であった。キリスト教に於けるミサの際に、グラスを浄める麻の布巾から、茶巾を生み出し、茶道とキリスト教との関わりは、戦国武将、高山右

坐禅する著者＊

近の熱心なクリスチャン信仰と茶道との関わりには、特別な興味を持つに至った。豊臣秀吉は、千利休を遣わして、幾度も高山右近に、キリスト教の棄教説得を試みている。右近が棄教するはずはないのを知りながら、利休は、高山右近と茶を介している。右近の戦国武将としての業績、その武功、キリスト教徒としての人望、秀吉は、強く右近の棄教を望んだが、利休は叶わぬことを、理解していた。後年、キリスト教禁令がすすむと、右近は、家族共々、フィリピンのルソン島に流される。別れの際に利休は、右近に羽箒を形見に贈っている。

この、右近の茶道が如何であったのかを、知りたいと思った。ならば、茶道を通じて、利休時代の右近の茶道を、少しでも感じたいと、願った。茶道教室の門を叩いた。

裏千家ミラノの教室は、ナビリオ（運河沿い）にあった。正座も、儘ならぬ固い身体に、まずは坐ることから始まった。背筋を伸ばす、呼吸を、整える、立ち上がり、畳みを歩く。茶道の空間では、一挙手一動、がんじがらめに、動作は、決められている。ミラノの裏千家のお稽古場は、ナビリオ沿いにあった。ミラノは、至る所に運河が張り巡らされ、そのナビリオの昔は、ヴェネツィアの様な風情の街だったそうである。実際、このナビ

＊2020年、セイコー社へのプロモーションビデオでのモデル。この作品2021年ベルリンファッションフィルムフェスティバルにてグランプリを受賞。

ベルギー、での茶道講習会

Lirica in salotto e tennis club «I nostri angoli di Giappone nella città del (falso) sushi»

Casa a Pagano, atelier a Rogoredo: la comunità di Yoshi e Sumiko

Il rito del tè Yoshi Funabashi, 69 anni, con la moglie Sumiko (49) sui tatami del loro atelier

le», ricorda Yoshi. Una passione quella per le macchine che l'ha portato anche ad averne tante, alcune d'epoca. «Ma ora sto pensando di vendere anche l'ultima. Mi piace leggere sui mezzi pubblici».

Sumiko, che ha 49 anni, invece in Italia è venuta proprio per cantare, dopo una laurea al Conservatorio di Osaka. «Avevo 20 anni e non sapevo una parola di italiano, né d'inglese. Studiavo Lirica, sognavo la Scala, ma mi dicevano che la mia voce era troppo piccola per un teatro grande. Così ho iniziato a fare concerti da stanza, anche a casa di amici». Si sono conosciuti subito. «Mentre cercavo casa, è

アトリエでの茶道光景。コォッリエーレデッラ
セーラ紙の取材を受け、新聞紙上の記事と写真。

リオは、日曜日となると、多くの市民が、運河沿いに、並んだメルカート、我楽多市に、群れをなし、その光景をたのしんでいた。友人、オッタヴィア・ピッコロが主演した『愛すれど哀しく』(原題「Bubù」)、監督マウロ・ボロニーニ、その映画の時代設定に、一八〇〇年代後半のナビリオの風景が、描写され、懐かしく、異郷のさびしさからノスタルジアを喚起させる。

　茶道の講習会の朝は、早く、ナビリオの水面から立ち昇る霧は、蒸気の様で周りの冷気と相見合って、ミラノの冬の名物である。

　茶道と霧と運河、須賀敦子さんの『ミラノ　霧の風景』(白水社)も、同列記憶に配置している。

　とある日の講習会、イタリア人のお茶の客として、座っていた。不思議な事には、お手前の仕草の前一瞬、彼の思考が見えてくる。あっ次は帛紗を取り、盆に置いて、茶杓を！　彼は、緊張のあまり息を止めて、動作をしている。彼の動作は、彼の頭の中の考えた事を、如実に物語っていた。息を通して動作すると、滑らかな動きを作ってくれる。丹田で呼吸する呼吸法には、日本古来からの文化的コードが存在している。

11　マエストロ・ジャナンドレア・ガヴァッツェーニ

Maestro Gianandrea Gavazzeni を語り直す

　音楽と思想と人生とが深く繋がり、その思考する時間の中で、音楽表現に毎日を費やしたマエストロ、彼の著作、日記を掘り下げて行くと、彼の前の時代、ヴェルディ、更にその前の時代、ドニゼッティ、ベッリーニ、ロッシーニの音楽性との関わりに、見えないセンチメンタルな感覚の繋がりを、感じてしまう。我々が、知らないかっての過去の時代感覚の存在は、無骨で節度の無い、後塵の時代の感性に、潰されて、劇場の赤い幕の奥の奥へと、押しのけられて、埃まみれとなって、陽の目を見ることはなくなっていく。

　マエストロ・ガヴァッツェーニが亡くなって二十八年が過ぎた。私の感覚の中で、未だに生き続けるマエストロの音楽は、言葉に、変換出来ないものだろうか？　と、もう一度振返って綴ってみる。

　マエストロ、ジャナンドレア・ガヴァッツェーニと出会う切っ掛けとなったジュゼッペ・ヴェルディのオペラ、『十字軍のロンバルディア人』をスカラ座で聴いたのは、一九八六年。

日本人のリリコスピント・ソプラノ歌手林康子さん＊の声を聴きに、天井桟敷に座っていた。ゲーナ・ディミトローヴァというブルガリアのドラマティック・ソプラノとのダブルキャストのセコンド・ソプラノだった。このオペラは初日から既に聴いていて二回目だった。

この日の林さんの声量は、まさに、ドラマティック・ソプラノ、ゲーナ・ディミトローヴァを凌駕する出来映えだった。その声は天井桟敷に真っすぐに、飛んできて聴衆の耳に突き刺さった。

ヴェルディの音楽のドラマトゥルギーに圧倒されながら、間奏曲のオーケストラの奏でるヴェルディの音楽の美しさに酔いしれていた。ヴェルディのオペラ、音楽、メロディは、感覚、感性に深くコミュニケーションを促し感覚的官能の世界に、我々を導いてくれる。

ヴェルディの音楽は、彼の人生と彼の身に降りかかった過酷な精神的苦痛と日々向き合う苦しみ、悲しみ、腹の底から湧きあがる苦悩と向かい合う意志、その繰り返す内面の葛藤は、ジュゼッペ・ヴェルディの人生と深く関わっている。感性、知性に強く響いて、人間の生きる本質に訴えかけて来る。

一八四三年に、ヴェルディのオペラ第四作目となった、『十字軍のロンバルディア人』はスカラ座にて初演され、大成功を収めている。ヴェルディ

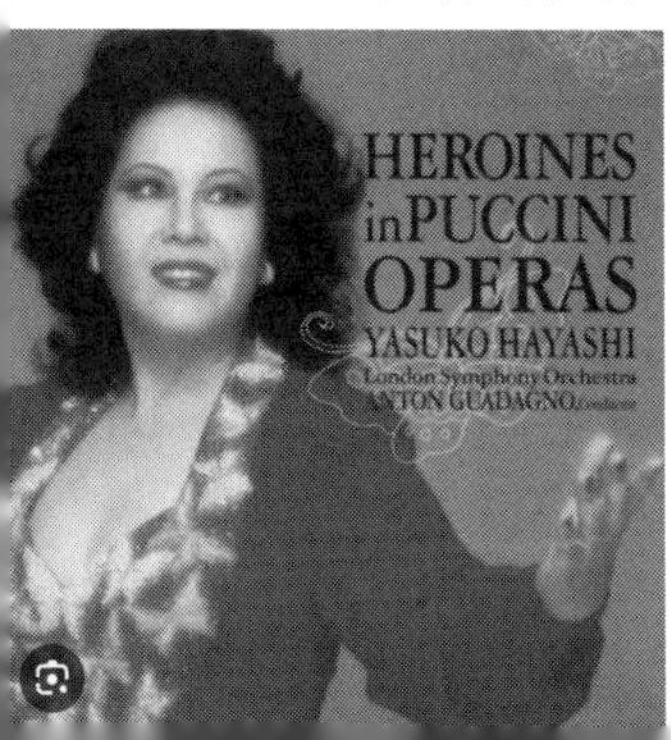

林康子
＊1943年生れ、1975年ロンドン、コベント・ガーデンにて、ドニゼッティ作曲、「愛の妙薬」で、ホセ・カレーラスと同時デビューする。

の音楽、オペラを語るには、イタリアのオペラの歴史に燦然と輝く時代の検証と過去のオペラ作曲家たちからの連綿とした流れを通時性的感覚として捉えられるだけの知識とオペラ体験を必要とする。ヴェルディの生きた時代のほんの少し先に存在したGaetano Donizetti, Vincenzo Bellini, Gioacchino Rossini, Saverio Mercadante らの華々しきオペラ劇場での人々の熱狂は、通時性的体験として認識することが出来る。

ヴェルディの音楽性は、彼の人生を生き抜く思想的心情が、色濃く描かれている。イタリアの独立、統一という歴史的政治状況と、ヴェルディの家庭の壊滅的不幸とが、その音楽性に色濃く反映している。

ヴェルディの音楽とのコミュニケーションは、それなりに感性、感覚の浄化作用を必要とする。浄化作用とは、頭で理解しようと努めないことが肝要である。ヴェルディが作曲する作曲時の精神的集中力、深い深い研ぎ澄まされた魂の底から生まれる音符たちによって、形づけられる楽曲は、演奏家にとって単に書かれた音符を忠実に演奏するだけでは、ヴェルディの音楽性の表現には、辿りいきつかない。人の感覚、官能と結びつく音楽性とは、図り知れない説明出来ない未知の様々な様相が関わっている。然も音楽は時間芸術、音楽家は演奏し、聴衆は劇場という同一空間の中で、聴きながらも消えて行く瞬間から瞬間へと移り変わる音楽に、その感動を委ねる。

『十字軍のロンバルディア人』その間奏曲に酔いしれていたその時、指揮者の指揮棒の切っ先に私は眼が離せなくなっていた。

指揮棒の動きは、絵描きがキャンヴァスに、絵筆をなぞっているようにも見え、又、優雅な踊り、舞踏のようにも思えた。

その老指揮者を指揮者台に見た時、最初は大丈夫かなと、少し侮蔑にも似た想いをもった。それが驚きに変わり、いつの間にかその音楽に埋没している自分に気づく。音楽のメロディ、自然に表現される音楽によって生み出される感情は、得も知れぬこの世のものとは思われぬ深い感動をもたらしてくれる。

指揮者の名前を、改めて銘記した。Giandrea,Gavazzeni

マエストロの音楽性との初めての出会いだった。

いや、その前にも、「愛の妙薬」ドニゼッティのオペラで聴いていた。この時のソプラノは、アミーナを歌ったソプラノ・リリコレッジェーロのルチアーナ・セッラだった。一九八〇年代スカラ座で聴いた大好きなソプラノの一人である。完璧なベルカント唱法を操る唯一無二のソプラノ・リリコレッジェーロ、ルチアーナ・セッラの見事な声楽は、高い芸術性を奏で、多くのスカラ座のファン、特に天井桟敷の人たちの共感、感動を与えていた。セッラで特筆するなら、ドニゼッティのオペラ『ランメルモールのルチア Lucia di Lammermoor』の狂乱

の場のアリア、また、オッフェンバッハのオペラ『ホフマン物語』のオランピアのアリアは、素晴らしい。

テナーは、ビンチェンツォー・ラ・スコーラで聴いた。ビンチェンツォー・ラ・スコーラは、「人知れぬ涙」で、最後の聴かせ所で、アクートがひっくり返り、流石に、天井桟敷の人たちは、ブーイングはしなかった。あまりに、気の毒なアクシデントと寛容なオペラファンの対応が、心に残っている。

マエストロ・ガヴァッツェーニの音楽性とコミュニケートを初めて、持ち意識する事が生まれた『十字軍のロンバルディア人』だった。このマエストロの音楽性との出会いは、オペラ鑑賞の視点を気づかせてくれた。音楽はオペラ指揮者の指揮棒の切っ先から、生まれるものだと、はっきりと認識した。

音楽は感覚、感性とコミュニケートするもので耳や、頭で接する物ではない。自分の身体に響いて来る音楽こそが頭での理解を超えた音楽との共感なのである。そして、時代と共にオペラの題材、音楽の質、聴衆のオペラへの期待、また、音響機器の発たちも音楽の質に、大きな変化と意味を齎す事になっていく。

『十字軍のロンバルディア人』を観た次の日、Enzino の家で昨夜の感動を彼に伝えた。

『ああ、ピーノ Pino のパパだよ、スカラ座の偉大な指揮者だよ』

マエストロの直筆サイン、「音楽と文化の偉大な愛好家　Yoshi へ
大切な思い出のために！」1987 年。

数日後、ピーノがマエストロの直筆のサイン入りの写真を持って、私に会いに来てくれた。

マエストロの額縁写真に『A Yoshi Grande appassionato e culture di musica, Per ceribile ricordo. Gianandrea Gavazzeni 1987』音楽と文化を愛するYoshiへ！　ある思い出の為に!!　と書かれていた（前頁写真）。

そして、「Yoshi、日曜日にベルガモの父のところに招待したいが」とピーノ。

そのころは、未だマエストロ、ガヴァッツェーニがどんなに偉大な指揮者かとは私自身判っていなかった。

マエストロは若いころ、ベルガモから、ミラノまで歩いて、スカラ座通いもしたそうだ。ベルガモは、ガエターノ・ドニゼッティの生誕の街、今尚、ドニゼッティの面影を、街の至る所に観る事が出来る。また、ベルガモ人を、イタリア語でベルガマスコとよび、そのベルガマスコの中に、絵画史上の大天才、ミケランジェロ・メリージ・ダ・カラヴァッジオが存在した。

ベルガモのチッタアルタ（山の上の街）のマエストロの自宅からはロンバルディアの平原が西南に広く広がっている。

マエストロのピアノが置いてある部屋で、お会いした。

マエストロの指揮棒
4年前の正月、ピーノから「Yoshi、パパの指揮棒、君が持っていろ！」と預かっている。

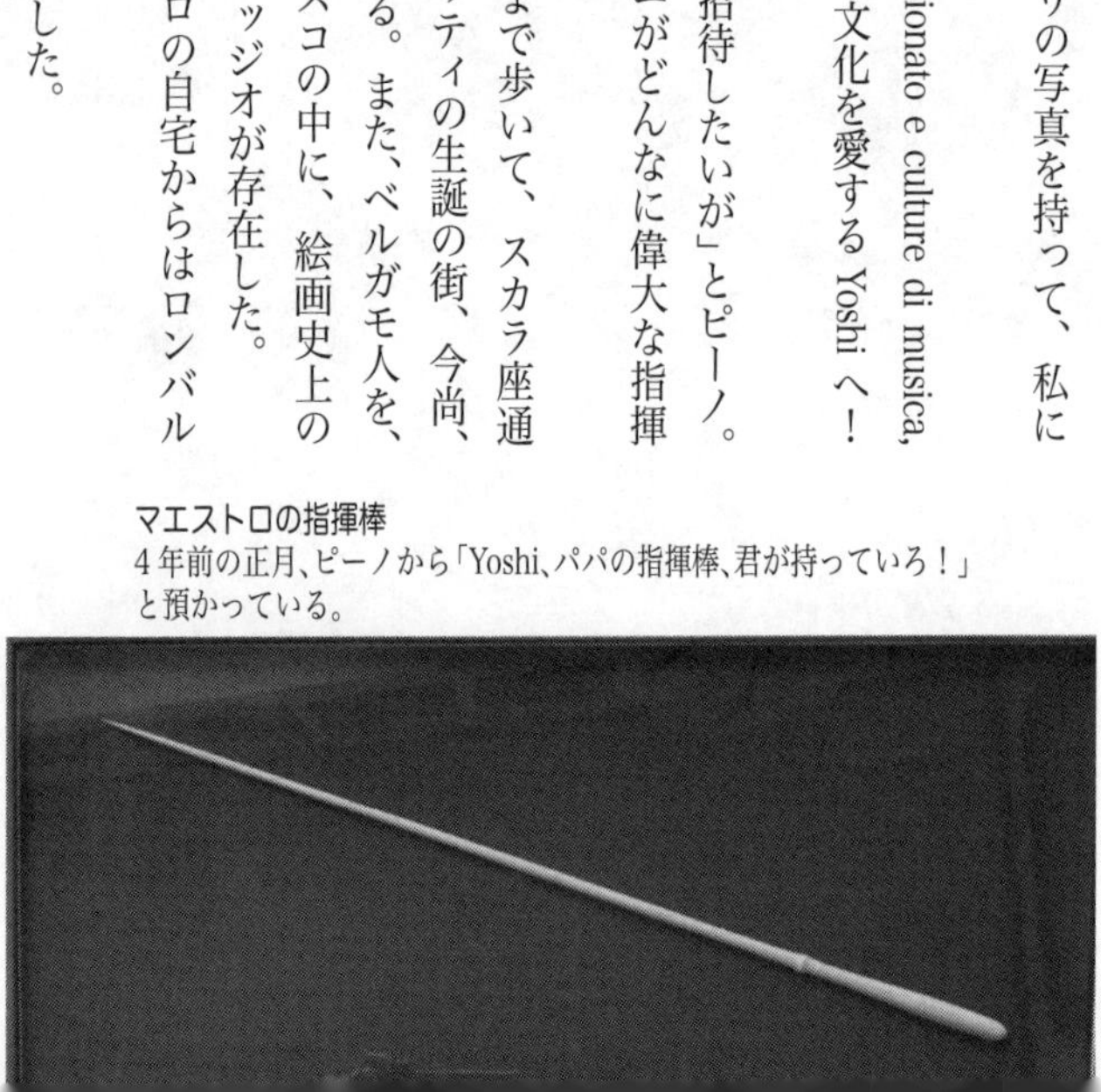

ピアノの上にはギュスターヴ・クールベの海の情景が描かれた絵が飾られてあった。海辺に向かって、遥か水平線の彼方から、画面一杯、白波を立て、躍動感を持って押し寄せている。絵の外にまで波が押し寄せて来るような、静かながら海のダイナミズムな動きを眺めている。海の風景画が今も印象に残っている。

マエストロは、単刀直入に辛辣なあの問いを投げかけてきた、『あなた方、日本人はどうして、西洋の絵画を描き、西洋の音楽を学ぼうとするのですか？』

そのマエストロの問いには、多くの西洋人が単純に指摘する疑問点でもあった。西洋人なら、誰もが抱く素朴な疑問の一つである。個の存在意義を、何よりも優先させる、表現主義、個人主義が基本的人権の基本に置く人にとって、物真似は、醜い行為に映るからである。

「マエストロ、それは歴史が作った問題なんです。一二〇年前の歴史の状況が作ったんです。一二〇年ほど前、日本はサムライの最後の時代でした。二五〇年鎖国を国策としていた日本に、アメリカ、イギリス、が武力をつかって、開国を迫っていました。

アメリカ、フランス、スペイン、ドイツ、ポルトガルといった西洋の帝国主義が、アジアを植民地化するために、アジアに押し寄せて来ていた時代でした。アジアの超強大国として歴史に君臨してきた清中国の状況は、イギリス、フランス、ドイツ、ポルトガル、西洋の列強に分割され、悲惨な状況下にありました。当時の日本の支配階級の武士たちは、中国の状況をみて、日本の将来を西欧化するために、欧化主義政策をとり入れました。ドイツ、ビスマルクの法律に学び、日本国憲法を作り、道路交通法は、イギリスから導入し、学校教育では、ドイツ／オーストリアから、音楽教師を招聘しました。絵画美術の先生は、イタリアから呼び寄せました。学校教育に西洋絵画、西洋音楽をとり入れました。又西洋建築を模倣して鹿鳴館を建てて、西洋の形式に倣ってパーティーを開き、社会風習の西洋化に努めました。こうして日本には、西洋絵画、西洋音楽が、小学校から教えられています。今では、西洋音階は日本では普通レベルに普及しています。この問題は、歴史が引き起こした結果なのです。」と説明した。

時間芸術と音楽

一九〇九年、ベルガモ生。一九五〇年代、第二次オペラ黄金時代にイタリア・オペラ界は二人の天才を持った。

一人をマリア・カラス Maria Callas、もう一人をガヴァッツェーニ Gianandrea Gavazzeni。マエストロはヴェリズモ・オペラ†の指揮者として、また Rossini、Donizetti のベルカント・オペラ※の指揮者として、オペラの表現に関して天才的な音楽を生み続けた。

その音楽性はまさに、一八〇〇年代の空気の振動、人々の時代感覚をオペラという舞台芸

† verismo opera。1890年代から20世紀初頭にかけてのイタリア・オペラの新傾向。ヴェリズモ文学に影響を受け、内容的には市井の人々の日常生活、残酷な暴力などの描写を多用、音楽的には声楽技巧を廃した直接的な感情表現に重きを置き、重厚なオーケストレーションを駆使する。

※ Belcanto。ロッシーニはベルカントを「自然で美しい声」「声域の高低にわたって均質な声質」「注意深い訓練によって、高度に華麗な音楽を苦もなく発声できること」にあり、イタリアのもたらした最も美しい賜物と述べている。

術で見事に表現していた。

音楽、オペラ、という時間芸術では、劇場という空間の中で、消えてなくなっていくという物理的時間との合間で、凝縮した音楽への観念と肉体的声楽が聴衆という支えと一体となって、エネルギーの固まりとなって燃焼する。

この緊張感が、絶えず、スカラ座への誘引剤となって週に三回は、スカラ座の天井桟敷に私は座っていました。

私はマエストロに尋ねた。

「私は音楽は勉強していません。だから音楽は、分かりませんが私はマエストロの音楽とコミュニケーションを持ちました。私は少しだけ大学で文学を学びました。マエストロにとって音楽とは、何ですか？　もし言葉で表現していただけたら、マエストロにとって、音楽は、なんなのでしょうか？」

『それは、馬鹿な質問だ。何故、君はスカラ座に行くのか？　と聞くのと同じことだ。ただ、私は、毎朝、起きると、二時間ピアノの前に、座り、音楽と向かい合う。音楽家にとっていつも大切な事は、音符と音符との間にある、書かれていない音をどう表現するか、だ。そして未だ我々が、生きていなかった時代に書かれた音楽とどうコミュニケートするかだ。その時代に入っていってその時代の空気を吸うことだ。

「椿姫」のマリア・カラス
Maria Callas (1923-1977)

また、十年前に読んだ楽譜を新たに読み直す。自分も十年前とは違う感覚にあるからだ。私にとって音楽とは、毎日毎日、同じところを同じ畑を耕す。これが私にとっての音楽だ。』イタリア語で、Coltivare 耕す、という意味で、カルチャーの語源だ。この言葉は、私の心に響いた。マエストロの音楽によって自分が耕されていく、その幸せ。マエストロと知り合って、マエストロが、亡くなるまでの最後の十年間、私の音楽はマエストロ、ガヴァッツェーニと共にあった。

スカラ座で『ラ・ボエーム』を、『アドリアーナ』を、『フェードラ』を、三〇回は聴いた。

フィレンツェのコムナーレ劇場、トリノのレッジョ劇場、ブレーシャのマッシモ劇場、ジェノバのサンカルロ劇場、ボローニャのコムナーレ劇場、パルマのレッジョ劇場、マエストロの行く劇場へも必ず馳せ参じた。

そうして、私の身体にはガヴァッツェーニの音楽性が刻印されている。

ラ・ボエームのSPレコード

12 音楽はスピリチュアルな！

音楽は宇宙、神との邂逅

音楽は、スピリチュアルな言語だ。音楽と向き合う時、身体の中の感情の琴線に触れ、あらゆる感覚が芽生える。その感情表出を言葉に託し、思考詮索し音楽によって生まれてくる言葉を綴る。絵画は、視覚感覚から色彩感覚が刺激され、あらゆるエモーションを喚起してゆく。そして言葉に辿り着く。

音楽と絵画の生み出す言語を、感情、感覚、情緒、情動、とで絡み合わせ、音楽と絵画を糊でくっつけてみる。スピリチュアルな感覚の訓練は、より深い表現力の基盤となってより深い理解力とコミュニケーションをとる遊び感覚がうまれてくる。絵画も音楽も、スピリチュアルな次元のそれぞれの生み出す輪、その交差する領域、空間と場が、私自身気づかない思考の襞に自光し隠れている言葉の芽が、生まれてくる。それはローマのボルゲーゼ美術館を訪れた時に起こった。一階にあるジャン・ロレンツォ・ベルニーニの見事な大理石の彫刻群を流し目で行き過ぎた。完璧で清楚で細かい表現力、彫刻の美とはこういうものだとばかりにその物語るベルニーニの一群彫刻は、護られた美意識の柵から、一歩として踏み越えようとはしない冷ややかな、存在として展示されている。しかしわたしにはそれ以上は語りかけて来ない。個人としてのベルニーニの顔、人間性が浮かんではこない、かんじられない。ボルゲーゼ美術館の二階の階段に、足を踏み入れると観た事の無い画家の大作が八枚近くかざられている。ルネッサンス時代の歴史的画家の名前くらいは知ってはいたが、イタリア絵画の歴史は、無知に近かった。始めて出会うこの絵描きの名前は、Michelangelo Merisi detto Caravaggio。ミケランジェロは、こんな絵も描いていたんだ、と勝手に、ミケランジェロの作品だと思っていた私は、このBuona Venturaと題され絵に魅せられたことはすでに述べた。

カラヴァッジオ、この画家は、音楽を奏でるミューズも描いている。

「エジプト避難行き途上の休憩」天使がビオラを弾いている。その提示されている楽譜は、完璧に模写され、今では、天使が奏でる音楽が特定されている。絵画の中には、音楽が流れている。いまから、四五〇年前の音楽が画布中に流れる音楽を、観ることが出来る。なんて画家なんだろうか、と驚かされた。カラヴァッジオ絵画史上の大天才、その作品は、ローマの王侯貴族の垂涎の的だった。

オペラの作曲家ジュゼッペ・ヴェルディ、絵画は、フランス初期印象派ギュスターヴ・クールベ、音楽と絵画の比較、しかも一八〇〇年代の時代感覚は、現代人からすると、感覚的に理解するには、むずかしい。歴史的時間の襞の重なりの奥に存在する感覚を感知することは容易いことではない。ヴェルディの時代には、自動車、はおろか、汽車は未だ存在していない。クールベの時代は、絵の具の販売さえも始まっていない。彼らは全て、自らの思考とその思考を実現する手作業とで、創作表現行為に、従事した。毎日食する食べる物？　毎日日常生活の中で聞こえる音は？　見える物？聴いている物？　匂い、街の喧騒、全てが違う環境の時代を生き、表現活動に従事した芸術家の感覚といかにコミュニケーションを持つかは、彼らの作品を楽しむ必須事項です。また、作品を深く知り、感覚に委ねる事が、彼等の生きた時代の空気を吸い、スピリチュアルな感覚の中に、自由自在な軽快な感覚を手にすることが出来る。ヴェルディのマクベスを聞く。オーケストラの奏でる大音響、合唱の響き、突き抜けるテナーの雷鳴、ソプラノの祈り、は、クールベの描く、深閑とした深い緑の暗闇の中の細い光の筋、湿気を含む空気の冷たさ、匂い、描かれた絵画空間のリアリティは、十九世紀初頭の自然の有様を感じたクールベの感覚を今私は感じ、リアリズムの言葉と結び付く。

「私は自分の眼で観たものしか、描かない。」

産業革命と人々の生活の変化

一七〇〇年代と一八〇〇年代の間に人々の生活を大きく変化させる産業革命なるものが起こる。人々の生活、考えかた、生活活動全てが大きく変化して行く。時間の概念が、生まれ一般化してゆく。時間をお金と交換出来る賃金労働者、お金で労働者を雇い、商品を生産、販売する資本家が出現する。

音楽も絵画も哲学も文学も宗教も道徳倫理観も、その基軸が、少しずつずれ始めて変化していく。新しい考え方が、時と共に生まれそれを共有するのが、個性としての現代人のアイデンティティとして鼓舞する新聞、雑誌、メディアが、登場してくる。時間の概念が、人々の生活を少しずつ少しずつ蝕んで行く。

音楽は大衆に、その門を広げ、劇場が、多く作られ大衆へ供給されて行く音楽は、要変すべく変化していく。オペラは、ベルカントオペラから、ヴェリズモ・オペラへと新しい発声法による、オペラのストーリーも現実に起こる事件に、その題材を求め、より劇的な作品作りに、進んでいった。

ファッションも、手縫いからミシン・機械縫いへと、ロンドンもパリも変貌していく。

だがイタリアは手縫いにとどまり、それを捨てなかった。その文化は深い意味を持っている。

13 アトリエ・コンサート

質の高い、敷居の低いコンサート

ミラノの南東、中心のドゥオーモから約六㎞、地下鉄ロゴレード駅、徒歩二分、一五年近く使っているアトリエには、ファッション・メーカーとしての機材とは別に、ガラクタが山をなしている。

ガラクタは、我楽多市で手に入れたものばかり、そもそもは、手巻き蓄音器、SPレコード探しから始まった。我楽多市は、ミラノの至る所で土曜日、日曜日、特に運河沿いの我楽多市は、よく通った。そこへ行くと、自分の欲しいものがどんなものであるのか、よく理解できる。家具、調度品はアール・デコが目がつき、照明器具は、ムラーノ、ヴェネチアンランプ、一九五〇年代の丸い電灯、鉄の装飾のある照明器具、一九七〇年代のポストモダンのデザイン照明器具、欲しいものは、高くて手が出ないものばかりである。コーヒー器具は、一八五〇年代から様々なデザインのコーヒー器具が、ここイタリアには存在した。いつの間にかコーヒー器具だけでも五〇個も揃った。昔のレコード目録、オペラの作曲家の本、珍しいものでは、一八五七年から一九五五年までのニューヨーク、メトロポリタン歌劇場の全公演目録本、新聞紙上でのその批評、歌手の説明、我楽多市で購入したモノの中で、日常の愛用品に、万年筆、メガネは、各一〇個以上は、机上に散乱している。

アトリエは広い。中庭があって、カタカナのコの字形をなしている。この中庭に、鉄柱を渡して、日除けの枠を作り、それに葡萄の蔦を這わせると夏の季節には、郊外の田舎家を想わせる風情があって、至極心地良い。昼食は中庭でとる。

右手の駐車場には、フィアット五〇〇（チンクエチェント）が三台、トッポリーノが一台、計四台が、七年に亘り眠っていた。使わない車の駐車場。この車を全部処分した。売ったお金で車庫だった場所に扉をつくり、中二階も設けた。鉄骨で組み立てた入り口ドア、窓枠にはアクリル板を入れた。すると九〇平方メートルの空間が出現した。

アップライトのピアノを置いた。オペラ歌手、音楽家たちがアトリエに遊びに来ると、ピアノ伴奏でアリアを歌ってくれる。ソプラノ、メッゾソプラノ、テノール、バリトン、バス、カウンターテナー、バイオリンニスト、アトリエの広い場所、元倉庫を改装して、そこでアトリエ・コンサートをやろうと誰かが話を持ち出してくる。

アトリエ・コンサートをやるならば、月一回を目標に、開催しようと有志が集まってくる。オペラを学ぶ声楽家の発表の場として、使えないだろうか？　また、オペラを聞いたことがない方へのオペラへの扉となれば、オペラファン、クラッシック音楽愛好家の方たちに、

第六回アトリエコンサートのチラシの写真
正面、船橋夏。下段、左から、ピアニスト、山根朋花、ソプラノ、橋本えりこ、ソプラノ、種谷典子、メッゾソプラノ、林眞瑛。

音楽の魅力を、振る舞えないだろうか？

観客は五〇名しか入らない。イタリア生活の中で、出逢ったオペラ、オペラへの強い憧憬が、この企画を推し進める強い動機となった。そして、このアトリエ・コンサートに、私も出演させていただいた。

ナポリ民謡、I' te vurria vasa を歌う。

人前で歌う魅力とは何だろうか？

狭い空間でのコンサートでは舞台の仕切りは無いに等しい。観客と歌手は、共有する同一空間で呼吸する。それは、歌手の横隔膜の振幅と観客の横隔膜とがコミュニケーションをする空間でのコンサートとなる。

胸郭で歌う歌手の声は、観客の胸郭に響く。

喉を使う歌手の声は、観客の喉に響く。

息を止めて力で押して声を出す歌手の声は、観客の息を止めさせて、息苦しさを覚えさせる。

歌手の声は、身体の響き合うメカニズムに連動するので

ある。狭い空間でのアトリエ・コンサートならではの歌手とのコミュニケーションは、頭と耳で聴くのではない。身体に響かせて聴かせると、コミュニケーションは成立する。

ピアノ伴奏の横に立ち、観客に頭を下げる。ナポリ民謡 I'te vurria vasa（君に口づけを！）を人前で歌う。その魅力とは、何か？

人前で歌うのは本当に恥ずかしい。恥ずかしいが、人前で歌うことは、すこぶる良い勉強になる。何故なら他人から見られる人前に立ってこそ、日ころ学んだ積み重ねが歴然とする。だから、恥ずかしく、また勇気はないのだが、非消極的にも、歌いたいと願う。未だに忘れられない経験の一つに、初めて出演した発表会がある。

マエストロ・ガヴァッツェーニが亡くなって、スカラ座通いが少し遠ざかった。このまま劇場と遠ざかるのも残念な思いがした。そして発声の先生について歌、発声法を習いはじめた。金曜日の朝八時にレッスンを入れた。朝のレッスンにしたのは、お客様との急なアポが入ったりして、レッスンのキャンセルがないようにと考えたからである。半年が経ったころである。発表会が催された。私も人前で歌うこととなった。

オーソレミオを選んだ。ジーンズにジャケット、水玉紺の蝶ネクタイを締め、気分は、ホセ・カレーラスだった。ホセ・カレーラスになったつもりで歌おうと意気こんでいた。他の生徒はピアノ演奏がほとんどで、小学生が多かった。大人は三人、演奏者が座る椅子が二つ、舞

ジョルジオ・アルマーニと。
彼のアトリエでのパーティーにて

台に用意されている。観客は、生徒の家族がほとんどである。いよいよ自分の番が回ってくる。動悸が激しくなってくる。異常な興奮に、喉がカラカラになってゆく。声が出るのか不安になってくると、前の演奏者が、私を紹介する。

さあ！　出番だ！

楽譜を抱きしめ譜面台におくと、観客に挨拶の礼をする。まともに、正面を見れなくて、視点、焦点が定まらない。ピアニストの先生を見ては、前方を眺め、手は頭を掻き、髪を撫でては、体をクネクネ動かして、今在る舞台上の自分からの無意識の逃避を試みて居る。二〜三分、の事だった。それは長く長く感じられた。

スタイフローン！テ　アテー！と歌いきった時は、気分はホセ・カレーラスだった。演奏会に来てくれた友人イーチェンにビデオを撮ってもらった。イーチェンは、アルマーニ・オフィスで働き、今ではジョルジオ・アルマーニ氏の片腕である。DVDに落としこんで頂いた。

どんな様子に写っているのかと自宅でこのDVDを見た。あまりの下手で情けない仕草にショックを通り過ぎ、意気消沈してしまった。こんなに酷いとは思わなかった。歌は辞めると決めた。DVDに映っていたのは、「俺は上がってないぞ！」と必死になって誤魔化している、挙動不審な男の姿だった。

スカラ座のバレリーナだったエルザと会食をした。エルザから、歌の発表会での歌は上手く歌えた？　如何？　と聞かれた。DVDに映ったビデオを見た事を告げた。舞台の上での挙動不審の態度、歌を歌う以前の問題なんだよ。こんな恥ずかしいとは、おもわなかった、歌は辞めたと告げた。

「我々プロも、公演の直後、ビデオに眼を通すのは、嫌なものよ。観るには、勇気がいるわ。でもね、そこには次のテーマが、隠されているのよ。Yoshi、二～三週間後に、また見るのよ。時間を置くと、より冷静に、欠点を見れる様になるのね。そのビデオには、次へのテーマが、盛り沢山入っていそうね。自分の欠点と向き合うのは勇気がいるわ。勇気がない人は欠落していくだけなのよ。一ヶ月後に、また見ると良いよ。そしてそのまた一ヶ月後にね！」

勇気を絞ってビデオを見る。そして、決めた。次の発表会は、動かないで歌うことを、目指すことにした。

頭をよぎる嫌悪感は、様々な想いを浮かびあがらせる。人前で歌った経験は、この想いの立ち切りを強く要請する。つまりこの不安と共に人前に立ってる男は、歌への集中力を失くし、ひたすらミスすることへの回避に力を注いでいる。挙句は、その場から消え失せたい恥ずかしさとは裏腹に、舞台上で、挙動不審の男を演じてしまう。俺は上がってなどはいないと、髪に手を当てピアニストの方を見ては、観客の奥に視線をむけ、身体は緊張のあまり、硬くなり、手足、身体は不自然な動きに動きまくる。僅か三分足らずが、時が止まったかのように、長く長く感じられる。観客との至近距離では、歌手の考えていることが、はっきりと見えるのである。この苦難から逃れる唯一の手段は、動かず、誤魔化さず、歌うことに完璧に集中するだけだが、これが難しい。一流の歌手でさえ、むずかしい。集中して演じられる歌には、観客は、集中力をもって聴いてくれる。歌に集中するということは、呼吸に集中することである。

何度、歌っても、最初の敷居を、超える事は出来ないながら、挑戦は続いていく。アトリエ・コンサートの主旨は、敷居の低い、質の高い演奏会である。私はデザイナーである以上、音楽とファッション、加えて食をテーマに加えた。

演奏会後は、私の手料理で、五〇人分、四種類の皿を用意する。赤ワイン、白ワイン、スパーリングワイン、水、このコンサートは、出演者には僅かながらも幾ばくかの出演料を支払う。コンサートの目的は、音楽を学ぶ音楽家の演奏の場の提供とオペラファンの育成である。コンサートの動機は営業目的では無いので、コンサートは全て口コミだけである。

演奏者と主催者と観客の三者が、それぞれ興味ある目的を共有できるのであれば、アトリエ・コンサートは、存続し続けれる。それは感覚的、官能の世界に触れる事でもある。立場の違う三者が、感動に酔いしれるならば、アトリエ・コンサートの空間は、意義ある何かを生み出し、時間の共有は、信頼感と持続的想いが、膨らむに違いない。そして、音楽は素晴らしく、人の心を豊かにしてくれる。

コロナ禍に、アトリエ・コンサートの活動は、二二回を最後に、休演している。またそろそろ、音楽家たちが、音楽ファンが、動き出し始めている。

アトリエコンサートでの写真
アトリエコンサートの歌手達は、日本帰国後、様々な、大ホールで活躍しています。

14 椿姫考証 ヴェルディの素顔への接近

Tito Schipa Jr 演出『椿姫』

一九九六年初夏の昼下がりだった。ローマのジャニコロの丘の中腹にある Villa Sospisio で、オペラ椿姫の公演への招待状が届いた。演出は Tito Schipa Jr である。

この椿姫公演は独特の演出だった。劇場公演ではなく、ローマの、ある貴族の館での公演である。

Villa Sospisio のサロンでは、並べられた食卓に盛りつけられた盛り沢山のメニュー、ワインとで、立食パーティが既に始まっていた。広いサロンには一〇人掛けの円テーブルが、一〇個置かれている。二台のグランドピアノが置いてある。

しばらくすると、アナウンスが響く。

『これから、公演が始まります。着席をお願い致します。

ティート・スキーパ・ジュニア演出、ローマ、ソスピージオ館での椿姫のデッサン！

タバコ、喫煙はご遠慮ください。』

観客が、フローラの館で行われるパーティに呼ばれたオペラの一員に組みこまれていることであった。

Carlo Maria Giulini 指揮（28/Maggio/1955) Teatro alla Scala にての Luchino Visconti 監督の前奏曲が流れ*、椿姫と呼ばれた高級娼婦の悲劇の物語が、バイオリンの弦の短調のメロディーで切なく、切なく物語っていく。前奏曲が終わると、直ぐにフローラの館でのパーティの帰りにヴィオレッタの館でのパーティへと流れていく。わたしのテーブルの直ぐ傍で、ヴィオレッタとアルフレード・ジェルモンとが挨拶をしている。

祝杯の、乾杯の歌、酌み交わす愛の歌、がはじまっていく。

これまでボーイ、女給をしていたのは、合唱団員、わたしのすぐ傍で、アルフレードとヴィオレッタの出逢いが、二人の恋の成りゆきとが、執り行われていく。そうしてオペラが進んでいく内に、観客は椿姫の劇の舞台上にいる事を感じ始める。

我々観客は、フローラの館で催されているパーティに呼ばれたオペラの登場人物に組みこまれていたのである。

二幕目に入るとパリの郊外の二人の田舎家、観客は、庭に設定された場所へと移動する。

この椿姫の公演は、演じる側と見聴きする側との幕が取り払われて、同一空間に存在する

* 1955年、スカラ座にて、カルロ・マリア・ジュリーニ指揮のオペラ「椿姫」が公演された。演出家が、ルキノ・ビスコンティ、椿姫　マリア・カラス、アルフレード、ジュゼッペ・ディ・ステファーノという、豪華なキャスティング。この公演は、絶賛を博し「椿姫」の歴史的公演と言われて、以後40年近くスカラ座に椿姫が公演される事がありませんでした。その公演の前奏曲を、ティートは、このプレリュードとして使った。

設定である。

この感覚が、オペラ椿姫との対話となって、今尚興味深く思い出します。

スカラ座での椿姫

一九五五年、スカラ座にて公演された椿姫は歴史的名演として、多くのオペラファンの記憶に刻みこまれています。マリア・カラスの声の持つ暗い響きのなかに，人生への淡い希望を感じさせてくれる恋心が、オペラ椿姫をドラマティックに悲しく響き渡らせてくれます。

一九九〇年六月一三日、マエストロ・リッカルド・ムーティは、スカラ座で、椿姫を指揮した。カルロ・マリア・ジュリーニ指揮、ルキノ・ヴィスコンティ演出、マリア・カラス、ジュゼッペ・ディ・ステファーノ、による一九五五年の歴史的名演から約五〇年間、誰もが手を付けなかったオペラ椿姫を公演した。

演出は、女性映画監督のLiliana Cavaniだ。ソプラノに、新人のTiziana Fabbriciniを起用した。テナーは、Roberto Alagna。新人テナーだったが、アラーニャは、パヴァロッティ・コンクールの優勝者で今後を期待されるテナーだ。新人ソプラノのファブリッチーニの起用には、新人なだけに不安を感じていた。しかもこれまでの椿姫のイメージは、マリア・カラスしか存在しなかったからである。

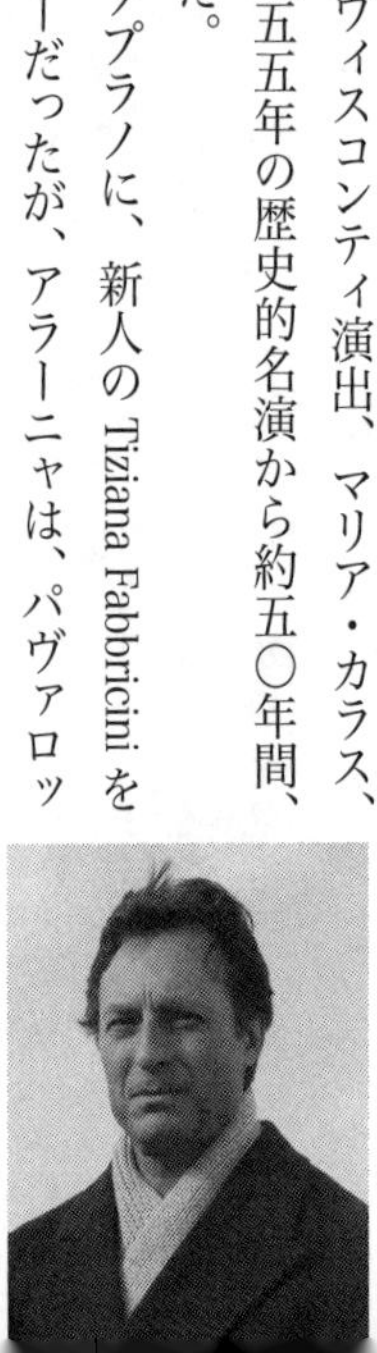

カルロ・マリア・ジュリーニ
Carlo Maria Giulini (1914-2005)
1953~56年、ミラノ・スカラ座音楽監督。

初日には大騒ぎが起こった。天井桟敷の人々のブーイングに危惧した、マエストロ・ムーティが初日の天井桟敷の切符を売らないと宣言したのである。これに怒ったオペラ・ファンの、特に天井桟敷の人たちが、プラカードを掲げて、スカラ座の終焉だとデモを繰り広げ、この決定を覆してしまった。今では懐かしい思い出である。

ヴェルディの二番目の妻　ジュゼッピーナ・ストレッポーニ

ジュゼッピーナ・ストレッポーニは、一八一五年九月八日にロンバルディア州ローディで生まれました。

音楽は家族にとっての伝統でした。何世紀にもわたって愛された音楽芸術を，祖父、父親，叔父、らによってジュゼッピーナへと伝えられました。家族との素晴らしい音楽、芸術の絆とロンバルディア州の多様な文化、そして彼女は非常に繊細な感受性に恵まれていました。十八世紀、十九世紀、職業は家族からの伝承でした。職業を選ぶ時代は、産業革命が起こり、都市に人が集まり、職業の分化が起こるまで待たなければなりません。マリア・マリブラン、アデリーナ・パッティ、歴史に名を残すソプラノたちも、両親の職業を引き継いだのでした。

ジュゼッピーナは、ミラノ音楽院でピアノと声楽を学び，声楽で名誉ある優秀な成績を収めました。音楽院を終えた後、彼女はオペラシーンに専念し、ますます成功を収めました。

スカラ座のプリマドンナとして活躍していたジュゼッピーナは、一八三九年、若いヴェルディの素朴な粗さ、その音楽性に強く共感し、彼女はヴェルディの作品「オベルト」をスカラ座の支配人、バルトロメオ・メレッリに推薦しました。一八四〇年，ジュゼッピーナは、テナーのナポレオーネ・モリアーニ、バリトン，ジョルジョ・ロンコーニ，又スカラ座の支配人バルトロメオ・メレッリ・・・と何人もの男性との浮名を流し，二人の私生児を生んでいます。激しい私生活は、一八四〇年初めには，プリマドンナとしての声量，声質に衰えを見せ始めていました。

ヴェルディとの出会い

ジュゼッピーナ・スポレッポーニはヴェルディと出会っています。

このころは、ヴェルディの妻マルゲリータ，娘バージニア、息子イチリオも存命中でした。その後、ヴェルディは，わずか一年の間に，長男，長女，妻とを相次いで病気で亡くしてしまいます。一八四〇年，作曲家としてのキャリアを断念しかけていました。

ジュゼッピーナ・スポレッポーニ

ヴェルディ

一八四〇年六月一八日、妻マルゲリータが、骨髄炎で死去、一年のうちに長男，長女，妻を失い、深い悲しみと失意のどん底に打ちのめされたヴェルディは後に「私は人生に敗北し、自信を失い音楽について考えることが出来なくなった」と述懐しています。

バルトロメオ・メレッリとナブッコ

雪が降っていたミラノのある冬の夜、、スカラ座の支配人バルトロメオ・メレッリに偶然に道で出会った。彼は原稿を無理やりに私のポケットにねじこんだ。帰宅の途中に言うに言われぬ不快感、深い悲しみに包まれ、死の恐怖感が襲ってきた。帰宅するとこの不快な台本を力いっぱいに机にたたきつけた。床に落ちたときにその台本が開いた。その台本は、ヴェルディの眼に突き刺さるように、詩の一節が目に飛びこんできた。

『行け、我が想いよ！　黄金の翼に乗って！』

詩篇「バビロン河にて」の一節だった。この一行は私の心に突き刺さった。この聖書を物語にした台本を読みふけった。台本を閉じてベッドに入ったが眠ることが出来ないほど、台本「ナブッコ」が脳裏から焼き付いて、離れず起き上がっては何度も読み返した。

翌日台本を返しにスカラ座のバルトロメオ・メレッリを訪れた。「どうだった」と彼は尋ねた。「素晴らしい」、「じゃ作曲してくれ」、「それは駄目だ、したくない」、「作曲したまえ」。こういって彼は原稿を私のコートのポケットに押しこみ、ひと突きで部屋から私を押し出し、ドアを閉めてしまった。黙って台本をポケットに入れて帰宅した。今日は一節、明日は一節と少しずつ書き溜めては、書き続けた。そして、このオペラは短期間で完成した。

『ナブッコ』

一八四二年三月九日オペラ『ナブッコ』はスカラ座で初演、主役アヴィガイレ:ジュゼッピーナ・ストレッポーニで、この『ナブッコ』は、大成功を収める

一八四三年二月オペラ『十字軍のロンバルディア人』初演も大成功を収める。

ジュゼッピーナ・ストレッポーニは、一八四五年、パレルモ公演での失敗をした後、一八四六年二月の公演を最後に、歌手活動から引退します。

パリへ

一八四六年一〇月ジュゼッピーナはパリに移住、声楽ピアノ教師としての活動をパリで始めます。

翌年一八四七年夏、ヴェルディが、パリの彼女の住居に訪れ、そのまま同棲生活に入る。

ジュゼッピーナは『十字軍のロンバルディア人』のフランス語版『イエルサレム』への改作を手伝い、またヴェルディにフランス社交界の礼儀作法を教えて，フランス語が苦手なヴェルディの通訳を務め，パリ社交界の面々に引き合わせるなど，ヴェルディがオペラ界で成功

するための、愛情深いさまざまな側面的支援を行なった。

一八四六年、妻の死別後、独身を通していたが一八四七年ころからストレッポーニと同棲するようになり、彼女の献身的な援助により作曲活動も順調にはかどってゆく。

「私の芸術的なキャリアの始まりであるオペラ」と称した『ナブッコ』で、彼女は歌と劇的な感覚の教導職でのアヴィガイレの役を演じました。そしてこの『ナブッコ』でヴェルディのオペラ作曲家としての地位と名声が始まります。ジュゼッピーナの声は，「澄んだ、透明感のある，よく通るスムーズな声」「上品な身のこなしと美しい容姿」と形容されています。又ドニゼッティは，彼女のために『Adelina o la figlia dell arciere』を作曲している。Bellini の『Norma』のアダルジーザ、『夢遊病の女』のアミーナは、ジュゼッピーナのレパートリーだった。

そうして、スカラ座のプリマドンナ・シーンから撤退した彼女は、ヴェルディの愛情深い仕事仲間となりました。ヴェルディの芸術に彼女はすべての才能を捧げ、あらゆる芸術家にとっての大きな目的となったパリの芸術界と貴族界にヴェルディを紹介しました。ヴェルディとジュゼッピーナの結婚式は、サヴォイの村で静かに一編の詩のような素朴さで祝われました。

ジュゼッピーナの音楽史的な重要性は、ヴェルディの音楽的才能をいち早く理解し、その音楽性に強い共感を持ち、ヴェルディのオペラ創作活動への惜しみの無い愛情深い協力にあった。

ジュゼッピーナとヴェルディ

・ブセットでの生活

一八四九年郷里ブセットに戻ります。

しかし，ブセットでのジュゼッピーナへの風当たり，冷たい仕打ちにヴェルディはブセット近郊のサンタアガタに農園を購入し其処に引きこもった。

ジュゼッピーナは，大作曲家の妻としてではなく，ヴェルディの仕事上のパートナーでもあった。流暢なフランス語を操り，スペイン語にも秀でていた。スペインの作家，グティエレス原作『イル・トロヴァトーレ』『シモン・ボッカネグラ』、サーベドラ原作『運命の力』、これらの概要を作成しヴェルディの創作の手助けをした*。また、アレッサンドロ・マンゾーニ**との面会を段取り，ヴェルディの『レクイエム』作曲に貢献している。有能な個人秘書でもあった。作品上演や，楽譜出版契約などの事務手続き、来信する手紙の整理，ヴェルディ寄りの返信の複写作成，これ等の作業は，ジュゼッピーナの仕事であった。ジュゼッピーナが整理した超大な書簡類は，今ではヴェルディ研究への第一級の資料となっている。

彼女は一八九七年一一月一四日にブセット郊外のサンタ・アガタで貧しい人々に祝福されて亡くなりました。享年八二歳。生年月日：一八一五年九月八日　ローディにて生まれる。

* Antonio García Gutiérrez(1813-1884) の戯曲『エル・トロバドール』(El Trovador　吟遊詩人)、戯曲『シモン・ボッカネグラ』(1843 年)。

Ángel de Saavedra(1832-1912) の戯曲『ドン・アルバロ、あるいは運命の力』(Don Álvaro o la fuerza del sino)。

** Alessandro Francesco Tommaso Antonio Manzoni (1785-1873)。イタリアの文豪、『いいなづけ』など。

・パリでの椿姫観劇

一八五三年初演『椿姫』は逃避行中のパリで観劇した演劇であった。主人公ヴィオレッタの至誠の愛が理解されず，悲恋の結末の末に死んでゆく椿姫とジュゼッピーナへの愛に共感を抱き，ヴェルディがオペラ化したとされている。

・ヴェルディ書簡集より

ヴェルディの私生活，彼の思考，どんな人だったのか，ヴェルディの素顔に触れたいと，二番目の妻，ストレッポーニの事を調べるとヴェルディの書簡集に，たどり着いた。

パリ，21Gennajo1852。p128.

ここに，ヴェルディの書簡集の中に，義父であり，幼少のころから，援助を受けいた，アントニオ・バレッツィへの返信がある。

親愛なる，義父バレッツィ殿

長い間待った後，私はあなたからそのような冷たい手紙を受けとるとは思いませんでした。そして私が間違っていなければ，私はいくつかの非常に厳しい文章を認めます。この手紙が私の恩人を意味するアントニオ・バレッツィによって書かれていなかったら，私は非常に暖かく答えたか、まったく答えなかったでしょう。
しかし、私は常に尊敬する義務を負うような名前に対して、私が非難に値しないことをあなたに説得するために可能な限り努力します。そのためには、過去に戻って、他の人のことや、わが国のことを話す必要があります。手紙は少しも目立たず、つまらないものになりますが、できるだけ短くするようにします。

貴方自身の思い付きによって、私を気の毒に思って、私に手紙を書いたとは思えません。しかし彼女はしばしば、他人の問題に巻き込まれ、彼女が世間一般の人の考えにそぐわないという理由で、彼女の人格を認めないという悪い習慣を持っている国に住んでいます。私には他人の事柄について、尋ねられない限り、興味を持たないという習慣があります。何故なら誰も私の興味をそそらない事を、私は私自身に正確に強いているからです。

ヴェルディは一八三六年に、アントニオ・バレッツィの娘のマルゲリータと結婚しました。二人の子供とマルゲリータは一八四〇年五月一九日に病死、亡くなりました。

ゴシップ、つぶやき、排斥。文明の少ない国々でも尊重されている行動の自由は、私にも要求する権利があります。彼女自身が裁判官となり、厳しくも冷たく冷静な裁判官になりますように。私が孤立して生きるなら、それはどのような悪から始まりますか？称号を持っている地位のある人を訪ねないのが正しいと思うなら、又、私がパーティーに参加しなければ、他の人を喜ばせますか？私がそれを好きで楽しんでいるので私の資金を管理するならば？繰り返しますが、あなたはどのような悪を始めますか？いずれにせよ、誰も被害を受けることはありません。

そうは言っても、私はあなたの手紙の内容に行き着きます。私は義務の人ではないことをよく理解しています。私にはすでに時間が経過しているからですが、小さなことでも私はまだできるでしょうか？これは、私があなたに真剣な義務を与えた後、あなたがあなたの中に含む手紙をほのめかして、今私があなたをささいなことに使うことを意味します、しかし、私はこれの言い訳を見つけることができません、しかし私は同じことをする場合、私は将来に必要な教訓しか言えません。私が不在中に私のビジネスを担当していなかったためにあなたの判決が非難を意味する場合は、私に尋ねさせてください…なぜ私はあなたに私の足を決して入れないほどあなたに非常に重い重みを委ねるのにそれほど慎重ではなかったのですか？

これは私の意見、私の行動、私の意志、私の人生を明らかにしました、私はほとんど公に言うでしょう、そして私たちは啓示をしている途中なので、四つの壁に囲まれた謎を覆っているカーテンを上げるのに問題はありませんとそして彼女に言うでしょう。(p.129)

私の家庭生活に隠すものは何もありません。私の家には、孤独な生活を送っている私のような恋人である独立した自由な女性が住んでいます。私もあなたも、私たちの行動について誰にも説明する義務はありません。しかし一方で、私たちの間にどのような関係が存在するかを誰が知っていますか？　どのような事の為に？　私はあなたに対して、そしてあなたは私に対してどのような権利を持っていますか？　彼女が私の妻であるかどうかを誰が知っていますか？　そして、この場合、特定の理由が何であるか、公開されるアイデアは何であるかを誰が知っていますか？　これが良いか悪いか誰が知っていますか？　そして、私たちに呪いをかける権利を持っているのも悪だったら？　しかし、私の家では、彼女は私に負っているよりも確かに大きな敬意を払っていて、どんな称号でもあなたを見逃すことは許されていません。最後に、彼女はそれに対するすべての権利を持ち、彼女の行動、彼女の精神、そして特別な配慮のために、他人に対して決して間違いを起こすことはありません。

この長い手紙で、私は自分の行動の自由を主張する以外に何も言うつもりはありませ

んでした。　　　　　　　　　　　　　　　　　　　　　　　　　　(p.130　I COPIALETTERE)

人には権利があり、そして、私の性質は他人の邪魔をするのに反抗的だからです。そして、最終的にはとても良い、とても公正で、とても心のこもった彼女は、自分自身に影響を与えることを許さず、私の考えでは、言わなければならない国の考えを吸収しません！

この手紙の何もあなたに不快感を与えることはできません。しかし、もし何かが彼女に書かれていないことを不快にさせるなら、私は名誉を誓うので、私は彼女に不快感を与えるつもりはありません。私はいつも彼女を考えてきました、そして私は彼女を私の恩人であると考えています、そして私は自分自身を名誉にし、彼女に誇りを持っています。さようならさようなら！　いつもの友情で。　　　　　　　　　(p.131)

ヴェルディのこのジュゼッピーナへの考えは、アントニオ・バレッツィの心を融解させました。個人主義の確たる意志を、明確に、ヴェルディのこの手紙は示している。

椿姫原作考証

ジュゼッペ・ヴェルディ作曲、オペラ「椿姫」は、一八三〇年ころのパリの街の一角でいとなまれた、ある高級娼婦と青年貴族との間に芽生えた恋の物語である。閑静な住まいが建ち並ぶ住宅街に、椿姫と呼ばれるマルグリット・ゴーティエは住んでいた。週の三日と空けずにマルグリットはパーティーを催していた。月のもののある日には、赤い椿の花を刺していた。マルグリットの佇まいには、高貴な育ちの良さを匂わす知的さが、若さと美貌に加えて、その優雅な振る舞いに、品格を漂わせていた。人々の好奇な心に芽生えるマルグリットへの熱い眼差しは、高価な代償を意味していた。

青年の身にありながら偶然に、マルグリットに遭遇したアルフレードは、マルグリットを一目見て恋に堕ちてしまう。高級娼婦と将来がある青年の二人の恋心に、社会の思惑は、ひび割れた壁に染みこむ水のように、少しずつ、少しずつ、二人を引き裂いて行く。

椿姫の原作者、アレクサンドル・デュマ・フィスは、フランスの大文豪、アレクサンドロ・デュマを父親に、ブルッセル出身でパリでお針子をしていた母親、マリー・カトリーヌ・ロール・ラべとの間に私生児として生まれた。

母親は、父親デュマより、六才歳上だった。フィスの祖父にあたるアレクサンドロ・デュマの父トマは仏領ハイチでアレクサンドル＝アントワーヌ・ダヴィ・ド・ラ・パイユトリー侯爵と黒人奴隷の女性マリー・セゼットの間に生まれ、トマ＝アレクサンドルと名づけられる。

アレクサンドル・トマは、三人の兄弟と共に、公爵の他地への移転に伴い、奴隷として、売られている。利発で頭がよかったトマは、すぐに、父親から買い戻される。長身の美男子で超人的な体力と頭脳明晰な、青年に成長した、トマは、ナポレオン軍下で様々な武勲を立て陸軍中将にまで立身出世をした人物だった。一七九二年に、マリー＝ルイーズ・エリザベート・ラブーレと結婚する。エジプト遠征の帰途、ナポリ王国軍に捕虜として囚われ、二年間過酷な捕虜生活の後、四三歳で死去する。子供のころに、父親と死別した、アレクサンドロ・デュマにとって、父親トマへの思慕の念は強く崇拝に近く、デュマの作品に色濃く表現されている。

早い時期に、父親を亡くした故に、書生時代のデュマは、経済的に裕福な筈はなかった。同じアパートに住むお針子のマリーとの恋のアヴァンチュールで生まれた私生児が、デュマ・フィスだった。

三銃士、モンテ・クリスト伯、など小節の中の主人公にはデュマの父親、トマに対する憧れが、色濃く投影されている。時代は、産業革命の始まり、多くの作品を書いたデュマは、新聞に連載小説を書き、日刊紙の売れ行きに大いに貢献し、莫大な著作料を稼ぐ。

私生活は、稼ぎまくった小説の莫大な財に支えられ、甚だしく乱費する私生活を送っていた。一〇〇人の私生児を作ったと豪語するドンファンさながらのデュマだった。稼ぎまくった作品の報酬は、浪費と借金に費やされ、美食と放埒は、糖尿病を併発し、フィスに看取られて死んでゆきます。

デュマ・フィスは、若き日の自分の恋愛体験を椿姫のストーリーとして小説化したとされている。椿姫のモデルとされるマルグリット・ゴーティエの生きた時代は、十九世紀の初頭、貴族階級と新興ブルジョアジーとの階級が交差し始めた社会の変革期に当たる産業革命の最中の時代でもある。

十八世紀から十九世紀にかけては未だ女性の社会的地位は、確立されてはいなかった。

この時代の女性像には、スタンダールの作品に登場する男性による女性崇拝、崇める対象としてのみ存在する女性像をスタンダールは、数多く描いている。女性の地位、立場は、社会的自立が容認されない時代だった。私見ではあるが、フィスは、マルグリット・ゴーティエと母親マリー・カトリーヌ・ラベと父親デュマ、との関係イメージを重ね合わせて、また、自分の若き日の彼女との思い出として、椿姫を描写したのではないだろうか？

・この時代背景の女性

特筆すべき女性として、ジョルジュ・サンド、マリア・マリブラン、が存在します。

ジョルジュ・サンドは、女流作家として、また、フレデリック・ショパンの愛人、パトロンとして、時代の脚光を今なお浴びている女性である。

そしてマリア・マリブラン、はこの時代の人気を博したメッゾソプラノでした。

この二人の女性は、その存在を社会への反旗を翻したかのごとく、男性社会規範に、強い自己顕示欲を持って、主張し、その行動を示した。

『人生にはただ一つの幸せしかない。愛し愛される事だ。真実をうけいれよう。たとえ、それが我々を驚かし、物の見方や考え方をかえようとしたとしても・・・』と、この考え方の背後にある、ロマン主義の思考からは少し抜け出し、現実的事実に向き合う姿勢が感じられる。

フランスロマン主義作家のサンドは、フェミニズムの先駆的発言が多い。まさに時代が行く末に続く女性の地位向上の社会への橋かけだった。マリア・マリブランは、天才的メッゾソプラノとして、父親のマヌエル・ガルシアは、ジョアキーノ・ロッシーニに、愛されたテナーだった。その父親から幼少時から、スパルタ教育として、絵画、デッサン、フェンシング、乗馬、音楽、発声を学び、若くして成功したメッゾソプラノ歌手だった。一六歳で、ジュジッタ・パスタの代役で『セビリアの理髪師』で、デビューしました。また、作曲家ヴィンチェンツォ・ベッリーニは、マリブランを愛し、ロンドンまでおいかけ、彼女のために、譜面を編曲し、また、彼女のために新作を約束したという逸話も残している。乗馬を嗜み日常から、パンタロンを着用し、男装を常とした。ジョルジュ・サンドとマリア・マリブラン、二人は親交をもち、落馬が原因で二八歳という若さで早逝したマリブランの死を多くのファンが悼んだ。

マリアの声域はG3 - E6（三オクターブ弱）と非常に広く、さらに無理をすればD3 - F6（三オクターブ強）という極めて高音域の声も出せた。この広い声域のおかげでマリアはコントラルトの歌曲もハイソプラノの歌曲も容易くこなすことができた。マリアが舞台で見せる激しい感情表現は当時の人々から高い評価を受けている。ロッシーニ、ドニゼッティ、ショパン、メンデルスゾーン、フランツ・リスト、ベッリーニといった音楽家たちもマリアの信奉者だった。しかしながらマリアは乗馬にフェンシングといった活動的な気性が、当時の女性らしさの、保守的な人間からは、気品と教養が欠けており「芸術を理解しない大衆に媚びているだけだ」と非難した著名人もいる。マリアの声とその歌唱技法についてフランス人音楽評論家カスティル・ブラーズ Castll Brase は「マリアの声は力強く響きわたり、鮮やかで活力に満ちている。この神からの贈り物が情熱的なアリアとなって聴衆の心を揺さぶる。清澄で正確に半音階ずつ高くなるアルペジオ、力強く魅力溢れる節回し、ときに優雅にときに艶かしく響くマリアの声は、あらゆる芸術がもたらすことができる幸福感に満ちている」と絶賛している。

マリア・マリブランが存在している時にこのヴェルディの椿姫が、マリア・マリブランによって演じられていたらとありえぬ妄想に、オペラへの興味は、尽きぬものになっていく。

マリア・マリブラン
Maria Malibran (1808-1836)
フランソワ・ブーショ作
『ラ・マリブラン』(1834年)

産業革命とオペラ

産業革命は、十八世紀半ばから十九世紀にかけて起こった一連の産業の変革と石炭利用によるエネルギー革命、それにともなう社会構造の変革のことである。

産業革命において特に重要な変革とみなされるものには、綿織物の生産過程におけるさまざまな技術革新、製鉄業の成長、そしてなによりも蒸気機関の開発による動力源の刷新が挙げられる。

十八世紀は産業革命が起こり、人々は、労働への需要と要求とともに、都市に集中していった。都市における消費生活は、人々に生活への希望、便利さを提供し、お楽しみ賃金生活は、都会に貧富の差と都市人口増を齎し、都市の肥大化は、都市生活での矛盾をも内包しつつ、消費生活は、多くの便利品、発明をもたらし、二十世紀へと突入していく。

小説、椿姫の冒頭、巴里の閑静な街を散歩する作者は、オークションで人が出入りしているある一軒の家の前で立ち止まる。単純な好奇心から、中で開かれているオークションを覗きこむ。この家の主人らしき故人の日記が、丁度、オークションにかかっていた。何気なくその日記を落札する。その日記から、その館の主人だった故人の悲恋が、少しずつ浮かび上がり、ありし日の映像が剥がされてゆく。原作は、「道を外れた女」。デュマ・フィスの小説は、戯曲化され、舞台は多くの人を感動させる。

ヴェルディと椿姫の出会い

一八五二年ころ、ジュゼッピィーナ・ストレッポーニは、巴里への逃避行中だった。国民的英雄と化したオペラ作曲家ヴェルディに対して、父親がいづれも違う私生児を持つジュゼッピーナ、その男性遍歴に対して、ヴェルディの故郷ブセットの住民の甚だしい彼女への非難は、二人の愛情を引き裂き始めていた。ジュゼッピーナとヴェルディの絆は、それを知るヴェルディの親類縁者、義父であり、幼いころから音楽の道への援助を受けていた、アントニオ・バレッツィからも、またヴェルディの故郷ブセットの村人たちの強い懸念となり、次第にジュゼッピーナへの反感となっていった。スカラ座のプリマドンナだったジュゼッピーナは、二八歳ころから発声に、問題を持ち始め、また、周囲の反感にいたたまれなくなった彼女は、ヴェルディと別れパリへの逃避行となった。声楽、ピアノ、音楽の教師をする為に巴里へ行ったのである。一年が経過してヴェルディもジュゼッピーナの住む巴里へ行き、二人の同棲生活がはじまる。

世の中には、自らには、全く関係ない余計な親切願望は、いつの時代にも存在した。その害癖は、当事者に多大な精神的苦痛を与え、その人生に、外的選択の必要を加えた。椿姫の悲劇も、ヴェルディとジュゼッピーナの恋愛も第三者の口出しによって、言わば第三者の干渉によって生み出され、作られ、世の中に出現したと言える。

その、悲劇のなかで、人々はヴィオレッタに、ジュゼッピーナに、深く共感し、同情し、その不条理に怒り、涙するのである。それは、虚構の中でのみ存在する悲劇であり、我が身に降りかかると、現実悲劇を生み出す側の脇役に、容易に落ち着いていく。

ヴェルディとジュゼッピーナの二人は、劇場で演じられる椿姫を観劇する。椿姫の悲恋のドラマに感動したヴェルディは、ヴェネツィアのフェニーチェ劇場からの依頼されたオペラに、この、『道を外れた女』のオペラ化を決意する。わずか数ヶ月という驚異的な速さで、このオペラを書き上げた。娼婦が主人公というオペラは、検閲では煙たがられたが、最後には死ぬという結幕で、許可が降りた。書き上げてから数週間のうちに、フェニーチェ劇場で初演されたが、リハーサルも準備もままならぬ初演は、ブーイングで、大失敗に終る。しかし、このオペラへの強い共感とその作品の出来映えを信じたヴェルディは、再演に力を注ぎ、オペラ『椿姫』は大成功のうちに幕を降ろし、今日に至っている。

小説・椿姫とオペラ・椿姫

デュマ・フィス原作『道を外れた女』とヴェルディ作曲の『道を外れた女、椿姫』のストーリーには、微妙な違いがある。原作では、アルフレードは、ヴィオレッタの死に目には、会うことは出来なかった。アルフレードの父親ジェルモンからの「息子の将来の為に、身を引いてくれ」との懇願に従ったヴィオレッタに、裏切り者となじり、罵倒するアルフレード。悲痛な想いに耐えきれず巴里を離れたアルフレードの元に、ヴィオレッタの訃報の知らせが届く。急ぎ戻った巴里のヴィオレッタの館には、オークションでもぬけの殻に成り果てた空虚な現実に、うちのめされるが、彼女の死を受け入れられず、その屍を見るまではと、ヴィオレッタの墓を暴き、無残なヴィオレッタの遺骸を前に泣き崩れる。

オペラ化されたヴェルディの椿姫では、終幕、二人の別れへの疑惑の原因が解明され、病いのヴィオレッタの元にアルフレードは戻る。

オペラでは、ヴィオレッタは、アルフレードの腕の中で、幸福感に満ちた未来への希望の想いの中で、死んで行きます。

ヴェルディは、自分とジュゼッピーナとの恋愛関係に、アルフレードとヴィオレッタを重ね合わせたのでは、ないだろうか? デュマ・フィスの描いたこの上ない悲劇に、涙を流さぬひとはいない。実際、原作を読んで、これほど涙が出て困った小説はなかった。

死に目会えなかった恋人の死を、受け入れられず、埋葬されて未だ日があさいその墓を暴き、愛しいヴィオレッタの遺骸を前に、泣き崩れるアルフレードへの、強い共感をヴェルディは抱いた。オペラの中では、アルフレードとヴィオレッタとの再会を「Parigi o cara」と愛の二重唱で果たさせた。そしてヴィオレッタは、幸福感に満ち溢れたアリアの途中、アルフレードの腕の中で、息を引き取ってゆく。再会を果たし、アルフレードとヴィオレッタの二重唱、「パリージ オ カーラ」。

再び戻った二人の愛に、希望に溢れた出会いの二重唱に、巴里の街、その街の中で繰り広げられる愛の情景が、美しく描かれる。そして、希望への想いを抱いて、アルフレッドの腕の中で、息絶えてゆく。

ヴェルディは、ヴィオレッタのなかに、ジュゼッピーナの姿を重ね合わせて、椿姫を作曲したと考える。オペラ椿姫のヴェネツィア、フェニーチェ劇場での初演の後に、「マエストロ、あんなに素敵なヴィオレッタを、描いてくれてありがとうございます。」とジュゼッピーナは、ヴェルディに手紙を書いている。ヴェルディは椿姫の主人公、ヴィオレッタの中に、ジュゼッピーナへの想いを重なり合わせて、オペラは進んでいった。

オペラ椿姫は、バリトン、テナーが主人公のオペラが、多い中で、女性の主人公の恋物語が、テーマというヴェルディのオペラには珍しい設定である。

その動機にはヴェルディの恋人、ジュゼッピーナの過去を非難中傷され、思う様には付き合いきれなかった二人を引き裂く現実と、椿姫のストーリーに共感するヴェルディの強い想いが、あったに違いないと後に続くオペラ・ファンは、考えるだろう。

しかしふと考えてみると、創作の瞬間には、思い巡らす思考というものは、入りこむ隙は排除される。ヴェルディは、この芝居を観て、直感的にオペラ化したいとそう感じただけではないだろうか？

そうとは言っても、椿姫の登場人物たちとジュゼッペ・ヴェルディとジュゼッピーナをとり巻く人たちとの繋がりには、後にあれこれと繋がって行く人間関係が、興味深く浮上がってきます。ヴェルディは、オペラ化したいと考えた椿姫に、集中力を持って、完璧なオペラを描き上げた。

一八〇〇年代の人々の暮らしにあった自然、社会現象、人々の暮らし、そしてその時代の生きた感覚、感性を楽譜に写しこみ、音楽、オペラにして、見事に悲恋の女性を表現し、多くのオペラ・ファンの共感を今尚、またこの先、持ち続ける事でしょう。


十九世紀は、産業革命が起こり、人々の生活に大きな変化を齎らす時代変革の黎明期でした。一八一三年一〇月一〇日生まれのジュゼッペ・フォルトゥニーノ・フランチェスコ・ヴェルディは、未だ色濃く残った、一七〇〇年代の時代の薫りを受け継いで、パルマ近郊のブセットという田舎町に生を受た。

イタリア北部のエミリア・ロマーニャ州にあるパルマ市、先史時代にはすでに人が住んでいたとされるほど、自然環境が良く、豊かな土地には、古い歴史を築き、イタリアが統一するまではパルマ公国の首都としてオーストリアに属し、機能していた。町には当時の面影を残す歴史的建造物も多くあります。

ピロッタ宮殿三階にあるヨーロッパ最古の劇場の一つとされているファルネーゼ劇場で六年前に、指揮者マエストロ・ロベルト・アバド、演出ボブ・ウィルソンによる、イル・トロヴァトーレ「吟遊詩人」の公演に駆けつけた。ファルネーゼ劇場はパルマ・ピアチェンツァ公国のファルネーゼ家ラヌッチョ公爵の命により、一六一八年にジョバン・バッティスタ・アレオッティによって建設されました。一九四四年に、第二次世界大戦により損傷してしまいましたが、一九五六年から六〇年の月日をかけて再建されました。

世界で初、客席から見ると縁取られたように見える「額縁型」デザインで作られた舞台の劇場で、完全木造の建物です。今では、世界文化遺産に登録され、このヴェルディ作曲のイル・トロヴァトーレ以後、使用禁止を決定したそうです。全て木造による劇場、施設としての電気はなく、冷暖房もないが、素晴らしい劇場で、客席からは、舞台はおおきな額縁のようにみえ、競り上がった舞台奥、奥の天井は下がって見えて、舞台右端手前に、山高帽子を被ったヴェルディらしき老人が斜めを向いて椅子に座っている。ヴェルディは、最初トロヴァトーレは、フランス語で書かれていた。グランド・オペラとして、インターバルに四五分もの間奏曲を書き、全曲演奏された。それは長い間奏曲だった。舞台の上では、初期ボクシングの

Margherita Barezzi と彼女の父 Antonio Barezzi

マルゲリータ・バレッツィ「Margherita Barezzi」

ヴェルディの最初の妻、1814年生れ - 1840年死去。1838年長女ヴィルジニアが死亡、1839年長男イチリオが死亡する。悲しみの冷めやらぬ間のない間、妻マルゲリータ が26歳の若さで死亡。ヴェルディは、絶望の淵に身の置き所がない苦悩と同居。

アントニオ・バレッツィ

マルゲリータ の父、ヴェルディの義父。幼い頃から、ヴェルディの音楽的才能を理解し、経済的援助を惜しまなく注いだ、ヴェルディの恩人でもある。

当時のスカラ座の支配人 Bartolomeo・Merelli

スカラ座の初代館長、「ナブッコ」の台本をヴェルディに渡し、遂に完成、スカラ座で大成功し、ヴェルディのオペラ作曲家の地位を不動のものにした。作曲家がエターノ・ドニゼッティの親友でもあった。

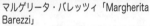

ジュゼッピーナ・ストレッポーニ
Giuseppina Storepponi
(1915-97)
1835年当時、スカラ座のプリマドンナを務めたソプラノ歌手。若きヴェルディの才能に魅了され、スカラ座の支配人、アントニオ・メレッリを紹介する。ナブッコでは、アビガイッレを演じた。13年の同棲生活の後、ヴェルディの二番目の妻となる。

Giuseppe Verdi と Francesco Tamagno

フランチェスコ・タマーニョ「Francesco Tamagno」1850年-1905年
イタリアオペラ、ドラマティックテノール歌手である。又、初めてレコード録音で印税を契約させた。その声は､SPレコードに残されている。ヴェルディのオテロの初演を演じた。また、かずかずのSPレコードには、ヴェルディの指示を感じ、その演奏を楽しませてくれる。

いでたちの男女が、シャドーボクシングらしき動きを、間奏曲の間中、うごめいている。一六〇〇年代のファルネーゼ劇場は、荘厳な装いの中、ヴェルディの吟遊詩人は、時間の隔たりを大きく踏み越えて続いていく。

ジュゼッペ・ヴェルディ、オペラを通してマエストロへの興味は、果てしなく、尽きない。

クリスマスのスカラ座

15 ランピーナの仲間たち　食べる人、料理する人

Rampina の仲間たち

La Rampina のオーナーシェフ、Lino は、Guartello Marchesi グァルテル・マルケージの弟子、マルケージで修行した料理人である。

ランピーナは、ミラノ料理をメインにしたメニュー、特に、子牛のカツレツ、オッソブーコ、リゾート・アッラミラネーゼ、地下のワイン貯蔵庫には、二万本のワインが眠っている。

シェフのリーノと知り合ったのは、グルメグループの一人、Elio エリオからの紹介だった。

レストラン、ラ・ランピーナの毎週水曜日の休日に、月に一度、グルメたちが集まって来る。グループの名前は、Mercoledisti メルコレディスティ＝水曜日の会、食べることが好きな仲間たちが、午後に集まってくる。リーノは厨房を解放し、その週の当番が、前もって決めたテー

レストラン、
ラ・ランピーナ

マ、メニューをファックスで送り、リーノが、その食材を仕入れ、提供し、その日のメニュー、グルメ仲間の決めたテーマに沿って料理を指導し、グルメ仲間がそれぞれ集まって料理する。夜の八時、レストランの客間を使い、三〇人程が集まりグルメの会食を楽しむ。ソムリエのアンジェロ、ウェイターのエルミーニオ、普段から顔見知りのランピーナの給仕人たちが数人手助けに入る。グルメ仲間たちは、Agipp アジップ、イタリアの石油会社に働くサラリーマンたちだ。当時、アジップはフェラーリのスポンサーだったのでフェラーリ部門のグループを持っていた。フェラーリのエンジンを創った、キティ氏もこのグルメグループに参加していた。日本食の会も二回ほどした。刺身、天麩羅、寿司、すき焼き、初めて日本食を食べた人も多かった。当時、ミラノの日本食レストランは、五、六軒を数えるのみだった。日本料理の食材の調達にも苦労をしたころのはなしである。大根、ワサビ、生姜、白菜、米等リゾット用の米を炊いても、パサパサ、ポロポロ、美味しくはなかった。

このグルメの会『メルコレディスティ』は、エリオがとり仕切っていた。エリオは無類の食い道楽、食通だ。食べる事に関しては、しゃべる。良く喋る。レストランのシェフ、オーナー、ワイン、オリーブオイルの生産者、多くの知人の付き合いの中で信頼感溢れる人格は、三〇年以上の付き合いが続いている。今ではほぼ趣味の領域で、レストランの照会、ウンブリア地方の食材、ワイン、オリーブオイルなどの品評会の責任ある地位についている。レストランのオーナーから、シェフに至るまで、幅広い人脈は、エリオと会って話す度に会話の深みと味と香りと人格の織りなす気持ちの高揚に、時を忘れてしまう。美味しいと聞けば、ローマ、フィレンツェ、ベニス、ボローニャ、有名シェフのレストランでの会食をメニューを楽しみとしている。

ある日の『メルコレディスティ』のメニューに、一五七七年生れ、稀代の料理人、Baltoromeo Scappi バルトロメオ・スカッピの料理本を手にして、マントバ候の料理の再現グルメの会を催した。

エリオに電話をしてその時のメニューを尋ねる。なにせ食したのは、一九八八年のころである。小さなアンティパスト、前菜が、一二品ほどテーブルを飾り、孔雀のメインディシュは、雉で代用した。砂糖は高価な食材であった一五〇〇年時代、糖は果物からの代用が多くもちいられていた。

「ヨシ、具体的には、だいぶ忘れたが、Cristoforo Messiburgo の書いた料理本、十六世紀のフェラーラ料理とでもいうか、フェラーラのエステ家の宮廷晩餐会を取り仕切った料理人のメニュー、また Francesco Leonardi は、一七三〇年から一八一六年にかけて、ヨーロッパ中で活躍し、パリでフランス料理の基礎を学び、一七九〇年六巻の現代のアピシウスをローマにて刊行する。（アピシウス。古代ローマ、ローマ帝国時代に料理に関するレシピを集めた書籍、四世紀末、五世紀初頭には完成していた。）

Antonio Latini（1642-1696）、ナポリ料理に精通し、宴会を劇場芸術に匹敵する催し物としての才覚を発揮し、騎士の称号を手にした。

Auguste Escoffier（1846-1935）、歴史の中に輝く料理人、彼らとのコミュニケーションには、心が踊るよと歴代の歴史に名を連ねる名前が続く。イタリアから、フランスへ視点を移すと、フランス料理界のシェフ、オーギュスト・エスコフィエにたどり着く。エスコフィエはパリのホテル・リッツのレストラン、現代フランス料理の基礎を作ったシェフである。多くのシェフ、食通の間で神格化され「近代フランス料理の父」と呼ばれている。

アデリーナ・パッティ（1843-1919）は、史上最も素晴らしいソプラノと称賛され、ヴェルディは、一八七七年、「おそらくかつてない程すぐれた歌手であり、途方もない芸術家である」と記している。

一八七三年五月二四日、多くのレシピを食通に愛され神格化されたエスコフィエは、ベルカント・ソプラノの崇高な歌姫、アデリーナ・パッティを、モンテカルロのグランドホテルで Adelina Patti メニューで歓待した。

このメルコレディスティの会が圧巻だったのは、レストラン、ラ

アデリーナ・パッティ
Adelina Patti

ンピーナの裏手に、La Rocca Brivioというお城がある。そこのメイン広間を借り切って、グルメと音楽をテーマとして、食事会を開いた。ベッリーニの時代、彼は何を食べていたか、ベッリーニはナポリ料理、ロッシーニはエミリアロマーニャ、ドニゼッティはベルガモ料理、ヴェルディはピアチェンツァ、パルマ料理、プッチーニはフィレンツェ、ピサ料理、——メニューとそれぞれの作曲家の音楽を、クゥアルテット演奏を聴きながら、お城での昼食会は、優雅な催しグルメの会であった。

このランピーナには、現代のイタリア料理界重鎮のシェフ、マエストロ、グゥアルテル・マルケージが、日曜日の夕食時に、よく食事に来ていた。幾度か食卓を共にした。八〇歳を越したころ、落下傘に挑戦した話を楽しそうに話し始めた。「落下傘で飛行機で飛び出す時、一番大切なことがある。それはパラシュートを引くタイミングだ。早すぎると開かない。飛び出して1、2、3、4、5、と数を数えるんだが、緊張感と恐怖は最高調にたっして、そんな状況下ではアッという間に、数を数えてパラシュートの紐を引いたのではパラシュートは開かない。落ち着いてどう数えられられるか？　それで、おれは、数を数える代わりに、リッカルドとかフランチェスコ、と友人の名前を叫んだのさ。」マエストロにとって、スカイダイブは、恐怖心克服遊びだったのかな？　グゥアルテル・マルケージの名の下には、連綿と現代、現在の有名シェフが、名前を連ねる。今でもリゾット・アッラ・ミラネーゼの、一六センチ正方形の金箔の衝撃は忘れられない。又、あのリゾット・ミラネーゼを食したい。後から知ったことだが、サフランの方が、金より高価だった。

日本に帰国した際、古波藏先生に聞いた話。

京都の千花という京会席料理のお店に、フランス料理界の重鎮シェフ、ポール・ボギューズ氏が、一週間毎日立て続けに食事に見えたそうだ。ボギューズ氏は、リヨンに戻ると、ヌーベル・キュイジーヌ＝新しいフランス料理、を始める。料理のヴィジュアル化、まず視覚に訴える見せる料理を始めました。メニューのプレゼンテーションは、京懐石料理、日本料理の影響を彷彿とさせる。一九六五年のころだ。フランス料理、ヌーベル・キュイジーヌは、見せる料理、大皿に小じんまりとした料理を飾りつけ、まるで絵画のようにトッピングを凝らし、客の視覚、イメージに働きかけた。瞬く間にフランス料理、ヌーベル・キュイジーヌは世界を席巻する。ポール・ボギューズで働いていたイタリア人シェフのグゥアルテル・マルケージ氏は一九七〇年代後半に、ミラノに戻ります。ヌオーボ・クチーナ、新しいイタリア料理を始める。視覚に訴える、眼を楽しませる料理には、刺身、魚介類、キャビア、カラスミ、など前菜にはじまり、プリモ、セコンドと創作料理のイタリア料理。ヌオーボ・クチーナ、のイタリア・レストランには、二〜三人の日本人コックがその厨房には働いていた。戦後、多くの料理人が、日本に来日し、日本料理を食し、料理へのインスピレーションとしている。

日本料理が世界の料理に強い影響を及ぼしているのは、自明の理である。

雨後の竹の子のようにヌオーボ・クチーナのレストランが乱立した一九九〇年ごろ、食べ歩きに時間とお金を割いていた。ある創作料理のレストランに行ったときの食への思考についての意見である。まずお店に入ると、そこのお店の性格を、敏感に読みとる。品格があり、店内がある種の緊張感を持っているのを感じると、そのお店の料理には、期待ができる。

一方で、何か緩んだような空気があれば、そのお店は辞めた方が賢明だろう。

日本料理を支える力について思考する。
食材：牛肉、豚肉、鳥、魚、野菜、根菜、きのこ、昆布、味噌、しょうゆ、酒
料理法：蒸す、焼く・揚げる、炒める、茹でる、発酵させる、切る
日本料理を芸術として認識した、北大路魯山人は、「料理王国」のなかで、器は、料理の着物、それぞれの料理に合った器を、自ら作陶した。また、昭和二四年パリ、ロンドン、ニューヨークと世界中を食べ歩いた。そしてそのあとがきに、「私は世界の都市有名レストランを食べ歩いた。そして気づいたことがある、日本料理は素晴らしい。今に世界中の人々が、日本料理を食べに、日本へ押し寄せて来るのが明日に、迫っているのを確信した。」と書いてある。七十数年前の発言である。

ラ・ランピーナのシェフ、リーノとスミ

相手の身になって考える、自己滅却、非分離の思考の生活習慣が築き上げた日本料理の世界には、慈愛に満ちたおもてなしのホスピタリティの世界観が拡がっている。日本料理が美味しいのは、必然の結果である。

わたしが、ランピーナのグルメグループに料理した物は、日本料理とは、言えない家庭料理。それでもリーノはじめ、エリオ、皆んなは、喜んでくれた。

リーノの、ランピーナの料理が、何故好きだったのか？　それは、リーノには、いつも慈愛の籠った温かい彼の優しさを感じるからであった。信頼と愛情と、友情溢れる人間関係が、料理を通して結びついていたからである。

ティーナとピエロのプジアーノ湖畔の別荘で！
後左からティーナ、有未、フルビオ
前列左　Yoshi , アンドレア、カルメン、ピエロ

著者によるミラノ・コレクション

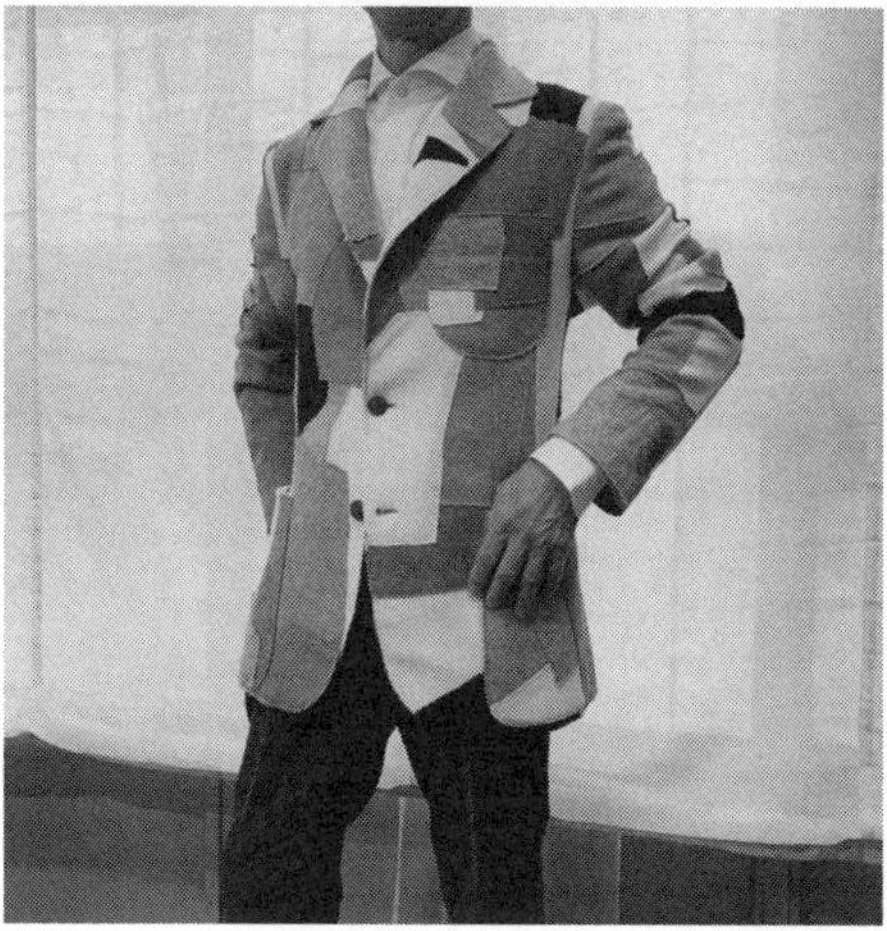

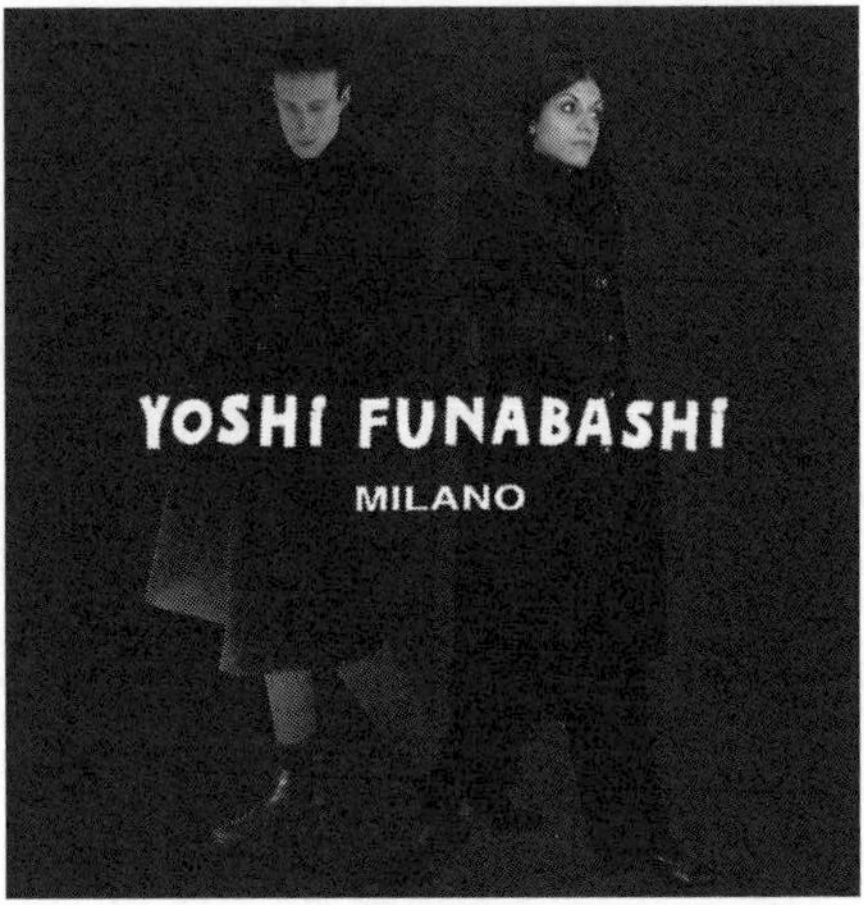
YOSHI FUNABASHI
MILANO

9AB2

ファッションは流れて！

流行は自ら作られて行くのか、はたまた、自然と生まれるものなのか？ 社会のシステムとの関わりは、どうあるのだろう？

パターンナーは、洋服の型紙を起こす職業です。アパレル業界では、必要不可欠な職種です。

一概に、パターンナーといってもメンズ、レディース、子供服、生産対象とする服によってその専門のパターンナーの守備範囲があります。

技術は、言語です。パターン作りの方法など違いが存在します。また、様々な、製図方式が存在していて、パターンナーの個人的性格にまでもその技術に、差異があります。デザイナーの今を表現するパターンナーは、コレクション・パターンナーとしてデザイナーとコレクション作りに従事します。身体と布との空間を表現します。コレクション発表後、生産にはいります。デザイン・パターンを量産用工業パターンに置き換えるパ

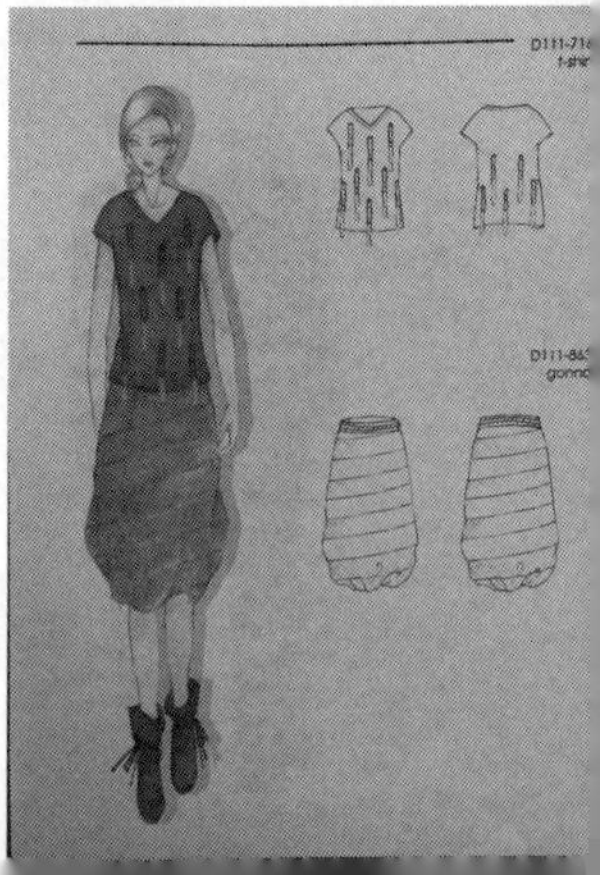

ターンナーがいます。

パターンナーの作図技術は、対象による。決められた標準サイズに沿ってのパターン作りとオーダー・メイドのパターンナーとでは、雲泥の差がある。オーダーメイドでは、身体の左右非対称性を測る。一方アパレルのパターンナーは、標準サイズに沿って作図する。また、同じ寸法であっても、姿勢によって、幅、長さ、前後の寸法差、個人的に違いがある。これらの人体の寸法を把握、表現する基本パターンを作ります。デザイン表現は、これからの作業になります。パターンナーの仕事は、ひたすら、出来上がった型紙の寸法測りです。アームホールの寸法と袖山の寸法の合わせなど、各パーツのチェック、パターン・チェックが終わると、サンプルをカット、縫製にはいります。大変、細かく集中力が要求されます。何が面白いかというと、作業の先にある完成した形が、見えてくるのが、楽しみである。

ファッション産業

服作りしながら、流行は作られている事に気づく。カラー傾向は、五、六年間前から決められている。

生地産業は、生地の供給に二年前から準備する。羊の毛を輸入する。生地の材料とな

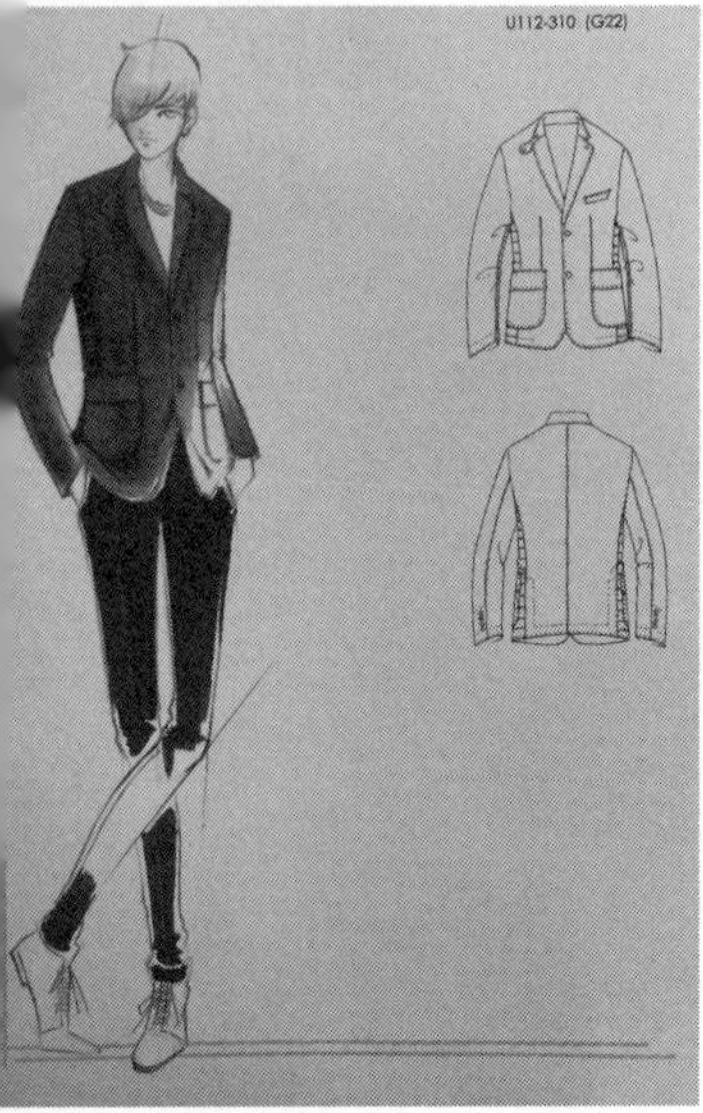
U112-310 (G22)

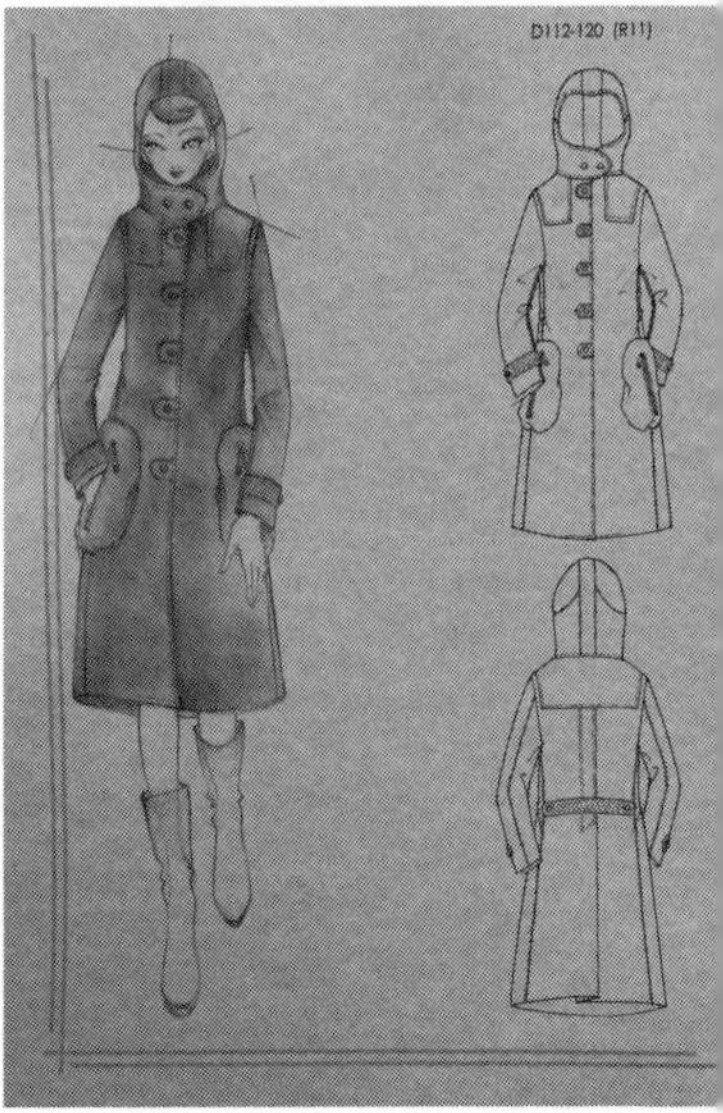
D112-120 (R11)

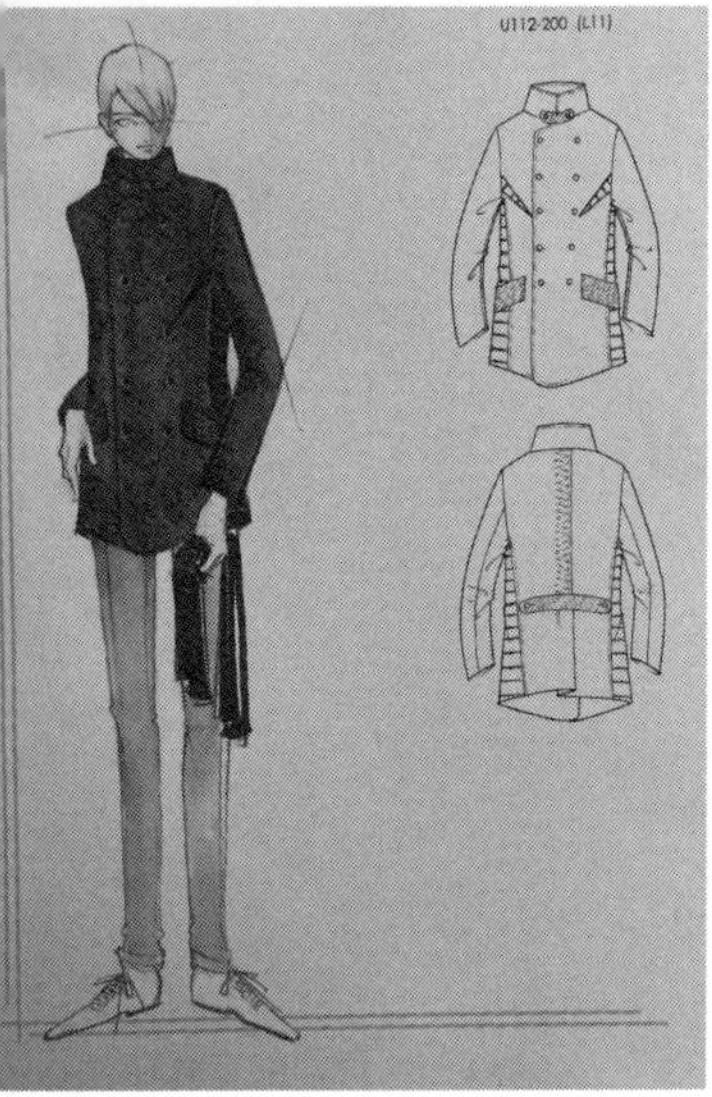
U112-200 (L11)

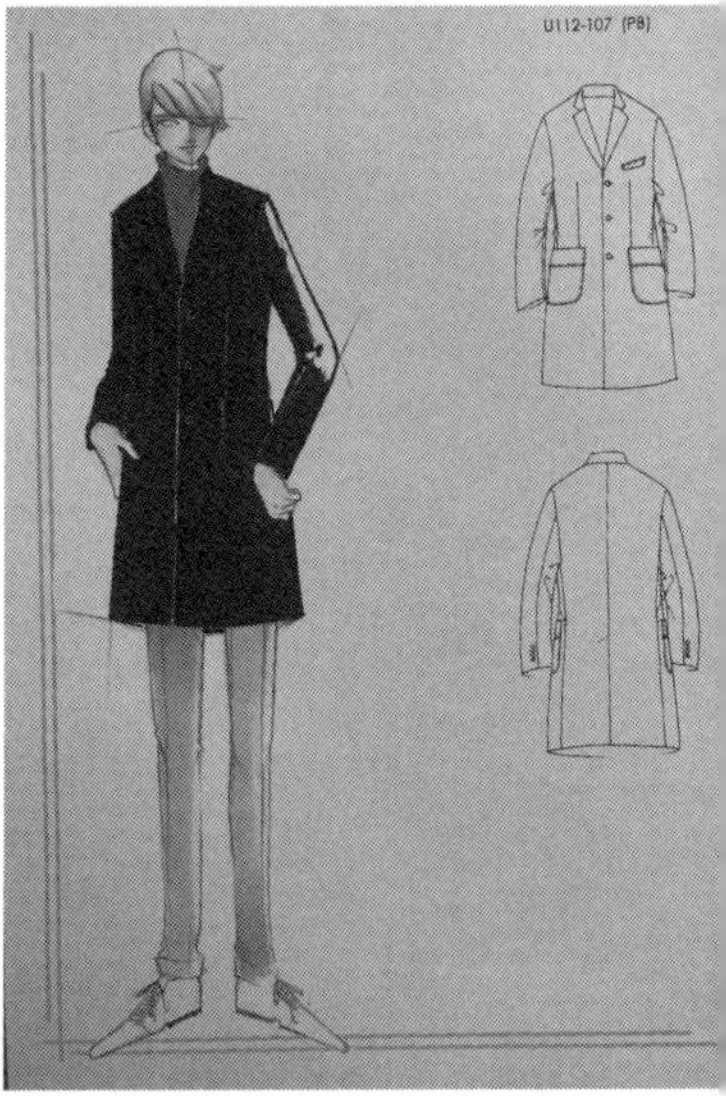
U112-107 (PB)

る糸を作る。同時にカラー傾向に注意して、染料の調達をする。そうして、生地産業は、生地を準備する。ファッション・メーカーは、一年前には、デザイン、カラー、生地は決めてある。素材は、前もって準備してなくてはならない。デザイン・コレクションは、すべてのコーディネートを考える。ファッション・ビジネスには、年間スケジュールが、決められそのスケジュールに従って、それをこなして行く。メーカーにとっては、展示会は、一番に大切です。ミラノでは、ミラノ・ウニカ生地展示会は、春夏コレク

ション、秋冬コレクションと年に二回、三十年、欠かさず通いました。生地メーカーが、一年後のコレクションを発表します。その数五二七社にも及ぶ。生地の展示会では、サステナビリティ、社会的、環境的倫理観、原材料の調達から製造・販売までの追跡できるシステムを伴う提案をして、生地産業が社会に貢献すべき重要性を打ち出している。

展示会には、あらゆる方面からトレンド、傾向が、何かを問い、ただしている。傾向を追いかけると振り回されてしまいます。服作りは、ブレないために、ファッショ

上写真：服職人
上、フランコ・コゼンティーノ　Franco Cosentino
下、ヴァルテル・マッジ Walter Maggi

ン・デザイナーは、まずテーマを決めそのテーマに沿って、アイテムを絞り、デザインを纏めて行きます。イメージを構築する事で、コレクションのテーマを深く追求します。方法としてとったのは、誰かに着せるとしたら、と過去の人物の中から、尊敬するモデルとしての人物を探す。メンズには、春夏のモデルに、フランスの詩人アルチュール・ランボーに決めた。もし、今、アルチュール・ランボーが現代に生きていたとした

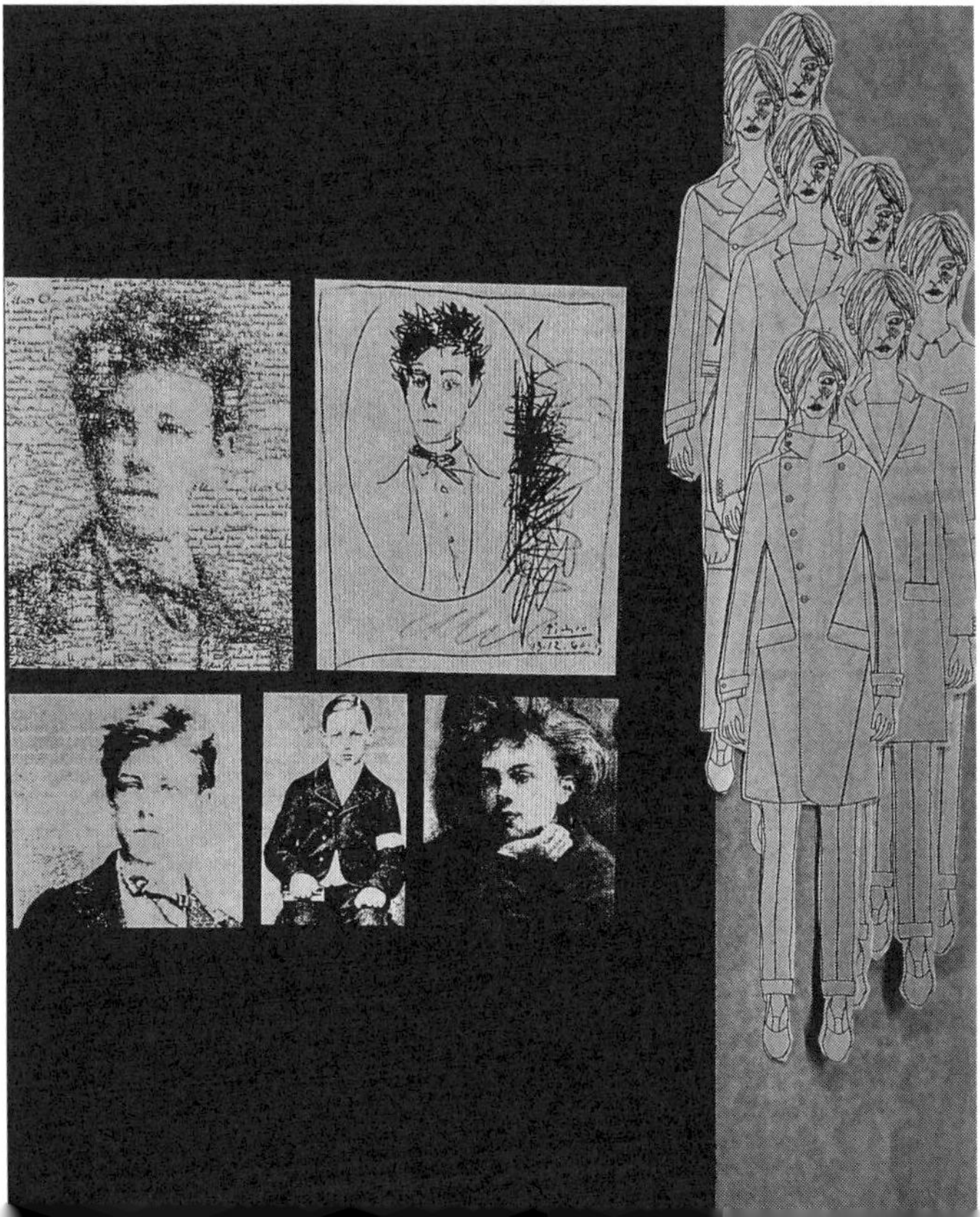

ら、彼に、何を着せようか！　そうして、イメージを増幅させて行きました。ランボーにきめたのは、暗記するほど朗読した、「地獄の季節」詩の持つエネルギーに触発されたからである。同様に、冬のモデルは、ガブリエーレ・ダヌンツィオ※に決めた。ダヌンツィオには、軍服からのデザインを転用した。

「軍服に身を包むと、精神が引き締まる。軍服は精神を甦らせる。」と！

※ Gabriele d'Annunzio(1863-1938)。イタリアの詩人、作家、劇作家。イタリアの詩人、象徴派、耽美主義、デカダンス、愛国主義者として、イタリアでは、彼の主義主張が、ムッソリーニに影響を与えたとされ、右翼、ナチズムと誤解されて、第二次世界大戦語後、イタリアでは、デカダンスの象徴的人物として、忌み嫌われています。下着、靴下、ハンカチ、靴、パジャマ、シャツ、ジャケット、コート、帽子、手袋、身につける、全てにおいて、ハンドメイド、オーダーメイドでした。また、三島由紀夫は、ダヌンツィオの私設軍隊に、影響を受け、楯の会を設立した事でも、知られている。後世、文学に影響を与えている。

ピッティウオーモ展示会

フィレンツェで毎シーズン開催されるピッティウオーモ展示会に出店した時のことである。ストゥーディオ・イプシロンの出店ブースに、背の高いイタリア人の男性が一枚のサンプルジャケットを、興味深そうに眺めている。近づいて、そのジャケットの特性を、説明した。「この生地は、ウール一〇〇％、ナチュラル・ストレッチ、しかもダブルフェイスです。」ダブルフェイスとは、二枚の布をくっ付け一枚の布とした、特殊な生地である。「この生地屋は、Botto Giuseppe 社というビエラ地方の生地屋です。サンプルで見ると何ら変哲も無い生地だけど、服にすると出來映えが素晴らしい生地なんだ。」すると彼は、黙って名刺を差しだした。その名刺には、Botto Giuseppe Poala Ferdinando, Presidente（ボット・ジュゼッペ・ポアラ・フェルディナンド、社長）とあった。その出会いから、フェルディナンドとの長い付き合いがはじまった。

消費者とファッション

ファッションは、時代の持つ雰囲気に関わる何かに反応する。心象風景、潜在意識に残った薄いシミのような匂いが、記憶を呼び覚ませてくれる。七〇年代にはやった、ミニスカートが若者に人気がある一方、八〇年代のオーバーサイズのコートが混じり合って、街中で良く見かける。隅々にまで、浸透してそして消えてしまう。人々に顕れるファッション傾向、流行とは、不思議なものです。現在は個人レベルでの傾向が、インターネット、インスタグラム、フェイスブックなどで発信され、様々な過去の過ぎ去ったファッションを、若い人が古着屋から、また、インターネットで購入しています。ファッションは、俺が私がと自己主張する場所となったのでしょうか？　そんな傾向から、人の心象風景が、垣間見れます。消費者は、自己主張の一つのアイテムとしてファッションを捉えます。

「衣服哲学」　トーマス・カーライル

「衣服哲学」と向き合って、読んだ事を思い出す。トーマス・カーライル（1795~1881）が書いたこの本は（1833~1835に雑誌連載）、明治の欧化主義のエネルギーとなって、明治時代の学生達に、ヨーロッパに習うべしと鼓舞してきました。その活動を担ったのが、ロンドンに留学した新渡戸稲造である。この本を日本に持ち帰り、日本各地の大学で「衣服哲学」の講義に奔走した。夏目漱石の『吾輩は猫である』の中に衣服哲学のドイツ哲学者のトイフェルスドレックが登場している。衣服哲学、要約すれば、宇宙を永遠の精神がまとう一つの衣服とみなし、その比喩で地球上の全てを説明しようとする。そうして、我々の肉体は、精神を包む衣服である。人はオギャーと生まれて、名前をつけてもらう。その名は、成長すると共に、躾、教育を受け、学問を学び、人格を形成し、成長する。衣服を纏うように、その名前は、その人の人格を纏っている。

衣服は、その人となりを表現している。

一九八〇年代パリのファッションと日本ファッションのパリでの台頭

この二極を俯瞰して、感じるものがありました。

三宅一生、高田賢三、山本寛斎、によるバリ進出から始まった日本ファッション、日本の物作りとして、三宅一生は、日本の伝統的な素材、絹、綿、麻、ウール素材を用いて、日本独自の平面パターン、着物感覚での、ボリューム感溢れる服は、パリのジャーナリスト達を歓喜の渦に巻きこんだ。感性感覚に研ぎ澄まされた日本ファッションは、ヨーロッパ、パリで大輪の花をさかせはじめる。高い肩パッドから身体を包むボリューム感溢れるシルエット、三宅一生、高田賢三、山本寛斎の成功は、後続の川久保怜、山本耀司、日本ファッションパワーは、まさにパリを、世界を席巻した。一九八〇年代の始めの出来事です。

一人の日本人パターンナーが、パリから遠く離れたローマで、この日本旋風の余波を受け職にありついた。当初は、幸運かとそのチャンスをしっかりと掴んだ。後からこのチャンスは、パリでの日本人デザイナー達の活躍によるものだと知った。イタリアのブティック、バイヤー達は、パリでの日本ファッションの服の購入に、躍起になっていたのである。イタリアのアパレル・メーカーは、日本風ファッションを目指し、日本人パターンナーに興味をもったのです。

西洋の立体的思考の服は、平面的要因を出発点としている日本ファッションを理解出来なかった。次元の異なる日本ファッションは、ジャーナリスト、バイヤー達からの絶賛を受け続けました。プレタポルテ既製服業界とオートクチュールの世界を擁するパリのモード界は、ブランド化に力を注いでいく。誰が観ても、パリは美しい。煌びやかな風光明媚なパリのセーヌ川河畔を背景に、ファッション業界への政治、ジャーナリズムのサポートは、フランスの国益を強く意識するものでした。発表されるファッションそのものへの価値を経済的価値観として認識していた。政治力によってサポートされているパリのファッション・ビジネス界と若きエネルギーに満ち溢れる新参日本ファッションの侍達は、十年二十年の長きに亘り、感覚感性を武器に闘い、奮闘してきた。長い歴史に培わされてきた主語制言語に基づく思想的に武装化されてきた西洋のファッション業界は、日本的ファッションの要素を吸収しつつそれを同化させ、フランスのブランドを巨大化させていった。

一九九〇年以降、グローバル化、構造改革、資本、労働力の移動、分業、生産の海外移転と、机上の空論が、世界規模で執り行われた。結果、グローバル化によって、日本の生地産業をはじめ、アパレル業界にもたらされた現実は悲惨である。生地産業の空洞化は、生糸産業の消失、紡績、製糸工場の廃業、ひいては、生地屋の縮小、生地産業の弱体化を、引き起こすに至っている。

イタリア・ファッションとフランス・ファッションの違い！

ファッション産業の要因を、フランスとイタリアを比較してみる。フランス特にパリでは、常に、デザイナー誕生の機運に、満ち溢れている。パリに拠点を置くデザイナー達は、ジャーナリズムに、受け入れられるデザイン性高いモードを志向し、活躍する。一方で、イタリアのファッション産業を支えているのは、生地産業である。何百年という伝統ある生地、特にウール素材を営々と作り続けている。そして手縫いをたいせつにしている。イタリア・ファッション業界は、デザイナーの出現を望まない。実際に、一九八〇年前後のデザイナー出現ラッシュ以来、新しいデザイナーは出て来ない。一九七五年登場したジョルジオ・アルマーニ氏は、現在九一歳現役である。当時活躍して名を馳せた、多くのイタリア人デザイナー達は、今はもう居ない。

日本のアパレル

便利さ、有効性、早道、などには、落とし穴が開いている。日本アパレルには、感覚、感受性、パターン技術は、作り上げていたが、物を作る環境を構築すべき思想が、今尚欠如している。西洋の論理性ある主語制言語社会の精神思考と日本の述語制言語世界の生産環境への日本アパレルの無理解が、両者の現在を物語っている。

コンサバティブで伝統的エレガントさを志向するイタリア・ファッションと、二極化した、パリのファッション業界、(オートクチュールとプレタポルテ)、日本のアパレル産業の低迷、その要因への思考こそが、やるべき明日への道を示している。

一九八〇年当初、イタリア語も話せないのに、仕事が舞いこんだ。イタリア・ファッション業界で、四十年間、働き続けられた。

言語が思想／技術を生む。

ふりかえってみると、日本語がもつ述語制技術に支えられ、その方法論を、述語的な手縫いをふくんで、毎日毎日耕し続けていた。相手の身になって考え、自分の非自己感覚で接するという、シンプルだがたいせつな、深い非分離の述語的な文化技術を・・・イタリアの場所で。

あとがき

二〇二三年にイタリア生活から帰国。

「なんちゃってイタリア」を書きながら、イタリア生活の良さをしみじみと感じています。イタリア人のホスピタリティ、親切心、友情、イタリアに住んでいた頃、あれ程日本人の何たるかに、イタリア批判、日本人の優秀さを夢見ていたのが、帰国後僅か半年も持たず、日本人が変になったと感じてなりません。

　述語制言語の作り上げた社会での慣習、良識、相手の身になって考える日本人だけにあった感覚が、消滅しつつあります。この視点で観ると諸々の分野での、成果、結果に、息が詰まった物質的な新鮮さに欠けたと感じられるものばかりです。なんちゃってイタリアが、上手く、そんな感覚、感受性を書けていたら良いのですが・・・・。

　学生が書いたようなと厳しい批判をした、亡き浅利誠君に、なんちゃってイタリアを捧げたいです。彼とは、パリ・ローマ論争を、良くやりました。パリの政治的ビジュアルさに対しローマは、音楽的で、精神が弛む。高いフランス料理は、あるにはあるが、ローマは何処に行っても、スパゲッティは、山のレシピで安くて美味い。今では、そんな論争が懐かしいです。

　書いてるうちに、ヴェルディ、ロッシーニ、あの時代の音楽家を書きひろいあげたくなりました。

　イタリア語を話すと何故か、顔に緩んだ表情が浮かぶ。イタリア語は、ストレスの少ない言語だ。路上でイタリア語を聞く、するともう、話し掛けている。まるで十年来の知人になる。イタリア在住の時は、周りはすべてイタリア人だから、毎日毎日イタリア語を話すから、気づかなかったが、日本に住んでると、イタリア語が、恋しく、喋りたくなり、イタリア人に話し掛ける機会が増える。心の通気性が良い言語であり、それが明るいイタリア人気質に繋がっている。Ciao Com’è stai! と挨拶すれば、日常のカーテンが開かれる。そこには、明るい響きが広がって、一日を心地よくしてゆく魔法が隠されている。

船橋　芳信（ふなばし よしのぶ）

1950年3月23日、長崎生まれ。

1975年、早稲田大学第二文学部卒業。

1980年7月イタリアローマ遊学。

フリーランスパターンナーとして、ボローニャ、リミニ、カルピ、フィレンツェ、ミラノ、パリ、スペイン、にて、欧州、各地メー カーとのコレクション契約。

1985年にミラノにStudio Ypsilon を設立。2020年までメンズ、レディースコレクションを30年間にわたり発表。WHITE&NEOZONE 展(ミラノ)で INSIDE AWARD 大賞を受賞。コンサバティブなデザイン性と縫製生産能力の高さとで、ミラ・ショーン社、プラダ社とコレクションサンプル作りに参加する。また、生地メーカーのロロピアーナ社、ボット・ジュゼッペ社の新作生地でのサンプル制作、ミラノウニカ生地展での発表等の活動をする。

2023年、マルティーナ・アバド、ビデオアーティスト監修、「よし　船橋」が、ベルリン・ファッション・ビデオフェスティバルでグランプリを受賞する。

コロナ禍後、ウクライナ戦争勃発により、2022年アトリエを閉鎖。

2023年2月28日、42年のイタリア生活に、終止符を打ち、日本へ本帰国。

現在、長崎と、東京、弟幸彦の経営する高級紳士服ブランド Sartoria Ypsilon で活動。長崎では、オーダーメイドでの、服作り活動中。

知の新書 E01　　(Act2: 発売読書人)

船橋芳信
**世界で最高！
なんちゃって、イタリア！**

発行日　2024年8月2日　初版一刷発行
発行所　㈱文化科学高等研究院出版局
東京都港区高輪 4-10-31　品川 PR-530号
郵便番号　108-0074
TEL 03-3580-7784　　FAX 050-3383-4106
ホームページ　ehescbook.com α

発売　読書人

印刷・製本　中央精版印刷

ISBN　978-4-924671-84-3
C0095
©EHESC2024